# DIE PROVENCE

Einleitung:
MARIE MAURON

Texte:
JEAN VALBONNE

Parkland

Abbé/Vloo : 20b, 23a, 83a, 91b – Alix/Vloo : 83b – Atlas : 41a, 65b, 89b, 94a – Barrault/Vloo : 76 – Baugey/Atlas : 8b – Berne/Fotogram : 81a – Bertot/Atlas : 61a, 65c – Breton/Vloo : 10 – Chappe : 20c – Chapuis/Atlas : 78a, 79a – Collin-Delavaud/Atlas : 30b, 86b – Corniglion/Atlas : 36b, 47b, 52a, 54a, 55c – Corte/Vloo : 93b – Dequest/Vloo : 7a, 93c – D'Heilly : 37 – Didier/Vloo : 25a, b, c, 26 – Diot/Vloo : 88 – Ensky/Atlas : 42b, 71a, 72b – Epardeau/Vloo : 67a – Faucheux/Atlas : 32b, 36b, 71c, 84a – Froissardey/Atlas : 12a, 36c, 42a, c, 43, 44, 55b, 90a, 92c, 95b – Gauroy/Atlas : 11b, 34 – Grigoresco/Atlas : 40a – Guillou/Atlas : 91a – Hétier/Atlas : 29a – Houdebine/Atlas : 64a – Houel/Atlas : 1, 2, 8a, 66, 79b – Hureau/Atlas : 3b, 49, 51b, 63a, 82a, 92a – Kerjean/Atlas : 12c, 63b – Lauros : 80a, 86a, 89a – Lecron/Atlas : 90b – Lelièvre/Vloo : 16a – Lenars/Atlas : 14, 19b, 70, 80b – Loucel/Fotogram : 81b – Lepage/Vloo : 62a, 67b, 71b – Leprohon : 32a, 48b, 54b, 82b, 84b, 85b, 91c, 92b – Mangiavaca/Vloo : 4a, 7b, c, 9a, 46a, 52b, 53a, 59b, 60a, b, 61b, 74, 75c, 83c, 93a, 94b – Marcou : 65a – Meggs/Vloo : 57a – Montferrand/Vloo : 57b, 58a – Nestjen/Atlas : 87a – Pélissier/Vloo : 24a, b, 27a, b, c, 62b, 96 – Perrin/Atlas : 78b – Petit/Atlas : End-papers, 3a, 11a, 17, 19a, 22a, b, 29c, 33a, 36a, 40b, 47a, 50, 51a, 59a, 72a, 75a, d, 90d – Pix : 13, 20a, 21a, b, 23b, 68a, 75b – Poinot/Vloo : 89c – Potentier/Atlas : 28, 33b, c, 41b, 48a, 87b – Rial/Atlas : 64b, 68b – Richard : 30a – Rozen/Atlas : 18 – Salou/Atlas : 16b – Sanson/Atlas : 73 – Somville/Vloo : 83d – Stevens/Atlas : 29b, 69 – Tassaux/Vloo : 58b – Tesson/Vloo : 4b – Tondeur/Atlas : 53b, 56 – Vloo : 55a, 71d, 85a, 90c – Vieil/Vloo : 95a – Watteau/Vloo : 12b – Zurmely/Atlas : 9b.

Designed and produced
by Editions Minerva S.A., Genève


Aus deu Französischen
von Alfred Zeller
I.S.B.N. 3-88059-187-3

Printed in Italy

*Die Provence - Einheit und Vielfalt*

Eine uralte Legende berichtet: Als Gottvater das Licht, den Himmel und die Erde mit ihren Meeren und Festländern, Ebenen und Gebirgen, Flüssen und Seen geschaffen hatte und sich, zufrieden und glücklich, ausruhen wollte, stellte er fest, daß er von alledem noch etwas übrig hatte. Daraus schuf er die Provence und meinte lächelnd: „Das soll mein

***Links ein charakteristischer provenzalischer Kirchturm (Mènèbres, Vaucluse). Oben ein „mas", ein provenzalisches Bauernhaus. Rechts in Reihe gepflanzte Zypressen. Solche Pflanzungen legt man überall in der Provence an, um die bestellten Felder vor den zwar nicht ständig wehenden, aber oft stürmischen Winden zu schützen.***

Paradies auf Erden sein!“
Ihren Namen verdankt die Provence den Römern, die im 2. vorchristlichen Jahrhundert, von den Bewohnern Massilias (Marseilles) zu Hilfe gerufen, ins Land kamen und von ihm als *provincia* Gallia Transalpina Besitz ergriffen. Ein Jahrhundert später wurde dann nach der Eroberung ganz Galliens aus dem südfranzösischen Gebiet östlich der Rhône die Provincia Narbonensis. Die großartige wirtschaftliche und kulturelle Blüte der Römerzeit, von der noch heute prächtige Baudenkmäler zeugen, veranlaßte Plinius zu dem Ausspruch, hier habe man es nicht mit einer Provinz im üblichen Sinn zu tun, sondern befände sich gleichsam in einem „zweiten Rom“.
Aber kehren wir zu der eingangs angeführten provenzalischen Legende zurück. In ihr kommt eine wesentliche Eigenart der Provence zum Ausdruck: ihre große landschaftliche Vielfalt. Man hat in diesem Zusammenhang von „Variationen über ein Thema” gesprochen. Das Grundthema ist durch die Sonne des Südens gegeben, die am Himmel strahlt und das Land mitsamt seinen Menschen zutiefst geprägt hat – jene Sonne, die für Menschen aus dem Norden wie den Maler Vincent van Gogh geradezu eine „Offenbarung” war. Aber dieses Thema ist in der Provence vielfältig variiert durch die landschaftlichen Gegebenheiten, das Meer, die Flüsse und Berge und die von ihnen eingeschlossenen fruchtbaren Ebenen. So gibt es, genauge-

nommen, eine Provence des Mittelmeers, eine Provence des Rhônetals, eine Provence der Alpenregion und eine Provence der Ebene (Niederprovence und Comtat Venaissin), jede mit eigenem Klima, spezifischen Wirtschaftsformen, eigenen Sitten und Gebräuchen und eigenen Dialekten, wenngleich diese allesamt der Langue d'Oc zuzurechnen sind. Jedes dieser Gebiete hat seine eigene Küche, seine eigenen Feste, seine eigenen Heiligen und Helden, seine eigenen Wallfahrten, seinen eigenen Aberglauben, seine eigenen Lieder, seine eigenen Trachten, seine Berühmtheiten und Feinde und nicht zuletzt sein eigenes Lachen: Am heiteren Strand des Mittelmeers lacht man unbeschwerter als im Hochgebirge, wo man seinen Lebensunterhalt der kargen Erde abtrotzen muß. Nicht minder unterschiedlich sind die Farben, Formen und Gerüche, die wir an der Küste, in den Flußtälern, in den Ebenen und in den Bergen antreffen. Und doch finden wir auch sehr viel Gemeinsames in diesem Land mit seinem uralten *gai-scavoir,* der Heimat der Troubadoure, die hier im Mittelalter ihre Minne- und Kampflieder sangen, Harfe und Laute schlugen, im Dienst ihrer adligen Herren oder gegen sie kämpften, um den Bewohnern der Provence ihre Rechte und Freiheiten zu sichern. Gemeinsam ist diesen Menschen vor allem ihre Lebensfreude unter der Sonne des Südens, die die Herzen erwärmt und die Gemüter erfreut.

Die klimatische Vielfalt spiegelt sich in den alten Häusern und Hütten, denen wir noch vielerorts begegnen, vor allem in den Behausungen der Bauern und Hirten. Das Bauernhaus in der Crau ist häufig aus den von der Durance angeschwemmten runden Kieseln errichtet; es liegt flach und massig da und wendet dem Mistral, dem durch das Rhônetal hereinbrechenden Nordwind, seine meist fensterlose Rückseite zu. Haus, Herden und Felder werden obendrein durch langgestreckte Zypressenhecken vor dem Toben des Windes geschützt. Offener sind die Häuser in der Ebene angelegt. Auf dem Schwemmland der Camargue baute man leichte Hütten: Die Mauern bestanden aus lehmbeworfenem Schilfgeflecht, und Schilfrohr bildete auch das Dach. Mächtige Mauern zeichnen die niedrigen Häuser und Hütten in den Gebirgsregionen aus. Wegen des Schnees und der eisigen Winterstürme sind die Dächer stark geneigt. Nicht selten sind die Gehöfte von wehrhaften Steinmauern mit einem großen schmiedeeisernen Portal umschlossen – einst Schutz vor den Wölfen und in kriegerischen Zeiten auch vor den Mitmenschen. An der Küste des Mittelmeers spielte sich das Leben großenteils im Freien ab; deshalb bieten die alten Hütten und Fischerhäuser nur Raum für die allernotwendigsten Möbel und Einrichtungsgegenstände.

Auch den Menschen der Provence sieht man – bei aller Gemeinsamkeit – häufig schon auf den ersten Blick an, ob sie von der Mittelmeerküste oder aus dem Hochgebirge, aus dem Rhônetal oder der Crau oder dem Comtat Venaissin stammen. Sie sind nicht nur durch die klimatischen Unterschiede, sondern auch durch die sehr verschiedenen Lebensbedingungen geprägt. Gemeinsam ist ihnen ihre Gastfreundlichkeit, aber auch eine gewisse Zurückhaltung gegenüber dem Fremden, die sich durch die tiefgreifenden Veränderungen und Umschichtungen in neuer Zeit verstärkt hat. So fröhlich und unbeschwert sie von Natur aus auch sind, so sind sie doch leicht verwundbar, besonders wenn sie den Eindruck haben, daß man sich über sie lustig macht.

Gern feiern sie Feste mit Musik und Gesang, sind lustig und tanzen gern. Aber die fortschreitende Nivellierung, die das moderne Leben mit

sich bringt, macht auch vor der Provence nicht halt. Uralte Traditionen werden allmählich aufgegeben, Trachten verschwinden mehr und mehr aus dem Alltagsleben, Volks-

kunst wird zum Souvenirkitsch abgewertet, die alten Feste, Lieder und Tänze werden zur Touristenattraktion. Moderne Einheits-Betonklötze verdrängen die alten Häuser. Das ist schade – unendlich schade. Aber leider wird sich diese betrübliche Entwicklung wohl nicht aufhalten lassen.

Marie MAURON

Die römische Provinz (Provincia Gallia Narbonensis), der die Provence ihren Namen verdankt, erstreckte sich von den Alpen bis zu den Pyrenäen. Das heute als Provence bezeichnete Gebiet wird eingegrenzt vom Unterlauf der Rhône, den Bergketten des Diois, dem Oberlauf der Durance, den Alpen und dem Meer. Wir wollen uns freilich nicht allzu eng an diese Grenzen halten, denn tatsächliche Grenzen waren sie weder in der Vergangenheit, noch sind sie es in der Gegenwart. Manch ein Abstecher wird uns in das benachbarte Languedoc führen, das landschaftlich und historisch der Provence eng verbunden ist. Aussparen werden wir hingegen den herrlichen Küstenstreifen östlich der Rhône, dem ein Dichter den Namen Côte d'Azur („himmelblaue Küste") gegeben hat; ihm wird ein eigener Band gewidmet sein.

In verschiedener Hinsicht bildet die Provence eine Einheit, bedingt durch ihr Klima, ihre Vegetation und mehr noch durch ihre Sprache, ihren eigentümlichen „Akzent". Und doch ist diese Region von einer unendlichen Vielfalt, die sich in ihren sehr unterschiedlichen Landschaften ebenso offenbart wie in ihrer ausserordentlich reichen und abwechslungsreichen Folklore. Entscheidend geprägt aber wurde die Provence durch eine höchst bedeutungsvolle historische Tatsache: Sie war seit alters die Pforte, durch die die Kulturen des Mittelmeerraums – die phönizische, die griechische und dann die römische – Eingang nach Gallien und damit nach West– und Mitteleuropa fanden. Sechs Jahrhunderte lang teilte die Provence ihre Geschichte nicht mit Gallien, sondern mit Rom. Sie war, wie Plinius schrieb, „mehr als eine Provinz – ein zweites Rom".

Im keltisch-ligurischen Siedlungsgebiet entstanden zunächst griechische Kolonien; dann kamen die römischen Legionen. Römische Kultur und römische Gesetze überzogen das Land. Über die Provence gelangte das Christentum zu den damals als Barbaren bezeichneten Bewohnern West– und Mitteleuropas. In den Jahrhunderten nach dem Ende der Römerzeit fand die Provence jedoch unter der Herrschaft ihrer Grafen zu einer erstaunlichen Eigenständigkeit, zu einer ganz eigentümlichen Kultur, in der die Welt des Nordens mit der Welt des Südens verschmolz.

Sänger und Dichter umrankten ihre Geschichte mit unzähligen Legenden, verwoben Dichtung und Wahrheit zu einem ebenso lebendigen wie eindrucksvollen Sagenschatz, von den an den Strand der Camargue verschlagenen heiligen Marien bis zum schrecklichen Drachen von Tarascon, nicht zu vergessen die Lieder der Minnesänger und Liebeshöfe, die im Mittelalter von ganz Europa Besitz ergriffen.

Geschichte und Legende begegnen uns überall in der Provence, in den Ruinen antiker Theater, auf den Mauern alter Burgen und Schlösser, in den bis in die Antike zurückreichenden Häfen am Mittelmeer, ja sogar im Meer vor der Küste der Provence, das immer noch Amphoren phönizischer Galeeren birgt, die vor mehr als zweieinhalb Jahrtausenden untergegangen sind. Mehr als jedes andere Gebiet Frankreichs ist die Provence von ihrer erlebten oder erträumten, aber stets lebendigen Vergangenheit geprägt.

***Oben Blick auf Vaison-la-Romaine. Links ein Lavendelfeld in den Basses-Alpes.***

Eisenbahn und Autobahn führen längs der Rhône nach Süden. Obstgärten (Pfirsiche) und Weinberge säumen den Fluss. Bei Donzère verengen steil aufragende Felswände das Tal. Aber noch sehen wir nicht den Boten, der uns vermeldet, dass wir das „Tor zum Süden" erreicht haben – den Ölbaum.

„Mehr als eine Provinz", wie schon Plinius geschrieben hat, kündet er an: eine Welt, jene mediterrane Welt, in der sich drei Kontinente begegnen: das von Rom und Griechenland geprägte Südeuropa, Kleinasien und Nordafrika. Seine silbern schimmernden Blätter rauschen im Wind, dem gefürchteten Mistral, der von Norden durch das untere Rhônetal dem „Mare Internum" entgegenbraust. Und wenn wir die ersten Zypressen sehen, die sich gegen seinen Ansturm stemmen, dann wissen wir : Hier beginnt die Provence.

Doch verlassen wir zunächst das Tal der Rhône, um der liebenswürdigen Einladung der Marquise de Sevigne zu folgen, die im Schloss von Grignan lebte, wo sie 1696 an den Pocken starb. Sie war aus der Bretagne dorthin übersiedelt, als ihre Tochter 1669 den Grafen von Grignan, Generalleutnant der Provence, geheiratet hatte. Das im Renaissance-Stil erbaute, nach den Worten der Marquise „sehr schöne, sehr prächtige" Schloss beherrscht den Ort. Ebenfalls aus dem 16. Jahrhundert stammt die Saint-Sauveur-Kirche. Hier war die Marquise de Sevigne beigesetzt worden, aber ihr Grab wurde während der Französischen Revolution zerstört. Eine Marmorplatte vor dem Hauptaltar bezeichnet die Stelle, an der sie bestattet gewesen war.

Eine Enkelin der Marquise, die den Marquis de Simiane heiratete, lebte im benachbarten Valréas in einem schönen Palast, dem heutigen Rathaus. Die wehrhaften Mauern des Ortes haben längst schattigen Promenaden weichen müssen. Weiter südlich liegt zwischen dem Rhônetal und dem freundlichen alten Städtchen Nyons das Tricastin-Land, ein verschwiegenes Fleckchen Erde in dieser so geschichtsträchtigen Landschaft mit harmonisch in die Landschaft eingebetteten Zeugnissen einer langen Vergangenheit: romanische Kirchen (Saint-Restitut), Burgen (Suzy-la-Rousse), zerfallene Wälle (Mornas).

Noch weiter in die Geschichte zurück führt uns das zwischen grünen Hügeln gelegene Vaison-la-Romaine: Hier begegnen wir erstmals der römischen Provence. Wir finden Reste eines römischen Theaters, den Säulengang des Pompejus, das Haus der Massii, Patrizierhäuser und andere Ruinen römischer Landhäuser. Statuen und andere Fundstücke aus der Römerzeit sind im Antikenmuseum zusammengetragen.

Nicht minder sehenswert sind die romanischen Bauten aus der Merowingerzeit: die alte Kathedrale Notre-Dame mit ihrem Kreuzgang aus dem 12. Jahrhundert, die Saint-Quinin-Kapelle, das längst nicht mehr bewohnte Schloss. In den alten Gassen der Oberstadt kann man herrlich von der Vergangenheit träumen.

***Oben die Ruinen eines Römerhauses in Vaison. Links das ehemalige Schloss der Familie Simiane, heute Rathaus von Valréas. Rechts eine Strasse in Vaison und eine antike Statue.***

## DER MONT VENTOUX, DER EINSAME RIESE

Vom Rhônetal bis zu den Alpen überragt die mächtige Masse dieses Berges das Land. Seinen Namen verdankt er den vor allem aus dem Norden kommenden Winden und Stürmen, die ihn umtosen. Er ist nicht nur ein Berg, sondern ein regelrechtes Bergmassiv, das um so eindrucksvoller wirkt, als es ganz vereinzelt steht. Die 1910 m hohe felsige Kuppe ist viele Monate lang von Schnee bedeckt. Als westlichster Vorposten der Alpen bildet er für die Provence eine Klimagrenze. Den steil abfallenden felsigen Nordhang bedeckt eine alpine Flora mit Buchenbeständen; auf dem Südhang hingegen finden wir bereits Pflanzen des Mittelmeerraums, Steineichen, tiefer unten auch Ölbäume und duftende Sträucher. In Gipfelnähe gedeihen nur niedriges Buschwerk, Gräser und Kräuter, die wandernden Herden als Nahrung dienen.

Mehrere Fahrstrassen führen auf den Berg hinauf, eine von Norden von Malaucène aus, eine andere von Süden von Bedouin über Saint-Estève. Den Gipfel krönen eine Sternwarte, die Sainte-Croix-Kapelle und ein Fernseh-Umsetzer. Der Blick reicht bis zu den Alpen, den Cevennen und an klaren Tagen bis nach Marseille. Wer gut zu Fuss ist, kann von Bedouin aus durch das Massif des Cèdres und zu den Almen wandern – herrliche, lange, freilich auch anstrengende Ausflüge. Pflanzenliebhaber finden auf dem Gipfel sogar polare Pflanzen, so den auch auf Spitzbergen heimischen Steinbrech.

Im Winter ist der Mont Ventoux ein Paradies für Skifahrer. Beliebt ist auf dem Nordhang das Gebiet beim Chalet Reynard, auf der Nordseite in 1400 m Höhe der Mont Serein mit seinen Pisten und Hotels. Bergsteiger können sich an den Dentelles de Montmirail versuchen, dem letzten Ausläufer des Ventoux in Richtung Rhônetal mit bis zu 100 m senkrecht abfallenden Felswänden. Wer sich für die Pflanzenwelt interessiert oder auch ganz einfach die Natur liebt, kommt im ganzen Gebiet rings um den Mont Ventoux voll auf seine Kosten. Malerische Kalkfelsen ragen aus einer üppigen, vielfältigen Vegetation, aber nicht minder sehenswert sind auch die Werke von Menschenhand, die von der lebendigen Vergangenheit dieses Landstrichs zeugen: einsame Kapellen (in Groseau als letzter Überrest eines Klosters, die Kapelle der grauen Büssermönche in Caromb), versteckte Weiler (Malaucène mit seinem viereckigen Glockenturm und seiner Wehrkirche, Seguret mit seinen Mauern und Toren)...

*Verschiedene Ansichten des Mont Ventoux. Unten die „Dentelles" von Montmirail (Vaucluse).*

## ORANGE, EINE ALTE RÖMERSTADT

Die Stadt mit dem Namen einer Südfrucht wurde von den Römern gegründet. Später war sie holländisch bis zu dem Tag, da der Graf von Grignan, der Schwiegersohn von Madame de Sevigne, sie eroberte, die Mauern schleifen liess und das Schloss zerstörte. Durch diesen „Handstreich" kam Orange zu Frankreich, was 1715 durch den Vertrag von Utrecht besiegelt wurde.

Im 13. Jahrhundert war Orange ein Fürstentum. Drei Jahrhunderte später fiel es durch Heirat Wilhelm Graf von Nassau-Dillenburg zu, dem Statthalter der Vereinigten Provinzen der Niederlande mit dem Beinamen „der Schweiger". Das niederländische Königshaus (Oranien-Nassau) hat zwar Orange verloren, aber den Namen der Stadt beibehalten; von niederländischen Seeleuten wurde er bis nach Amerika und Südafrika getragen.

In erster Linie aber ist Orange eine römische Stadt. In römischer Zeit lebten hier sehr viel mehr Menschen als heute; es gab ein Theater, ein Amphitheater, ein Gymnasium (Sportanstalt), Tempel und Thermen. Nach den Verwüstungen der Völkerwanderungszeit errichtete man aus den Steinen der zerstörten Bauwerke eine wehrhafte Stadtmauer. Zum Glück blieben einige Römerbauten erhalten: ein Triumphbogen zur Erinnerung an die Siege der Legionen Cäsars, deren Veteranen in der damals Arausio genannten Stadt angesiedelt wurden, und vor allem der Stolz der Stadt, das Theater, eines der besterhaltenen in Europa.

Es wurde kurz vor der Zeitenwende errichtet. Noch heute steht die mächtige, 100 m lange und 35 m hohe Bühnenwand mit der Kolossalstatue des Kaisers Augustus in der Mittelnische. Seit mehreren Jahrzehnten wird hier wieder Theater gespielt; die „Chorégies" haben internationalen Ruf erlangt. Von anderen Römerbauten sind nur noch Spuren erhalten, so vom Kapitol, vom Gymnasium und von den Tempeln zu Füssen des Saint-Eutrope-Berges, der einst eine keltisch-ligurische Siedlung trug.

Von der Terrasse auf der Höhe des Berges aus umfasst der Blick die ganze Stadt mit der grossen romanischen Kirche und dem Rathaus aus dem 17. Jahrhundert, dessen freistehender schmiedeeiserner Glockenturm aussergewöhnlich ist.

***Römerbauten in Orange: Oben der Triumphbogen, links und unten das Römische Theater.***

Viele Dichter haben den majestätischen Strom besungen, der den Weg in die Provence öffnet, so Alexandre Arnoux. Châteaubriand nannte ihn „den grossen wilden Fluss", Michelet den „aus den Alpen herabgestiegenen wilden Stier". Lyrischer feierte Mistral in *Le Poème du Rhône* die Ankunft in der Provence: „Sei gegrüsst, du Reich der Sonne, das die schimmernde Rhône wie ein Silberstreif säumt..."

In vorgeschichtlicher Zeit mündete die Rhône hinter der Talenge von Donzère ins Mittelmeer, aber durch ständige Anschwemmungen wurde die Küstenlinie immer weiter nach Süden geschoben, entstanden die Crau-Ebene und schliesslich die Camargue, das Mündungsdelta, das sich wie seit vielen Jahrtausenden langsam weiter ins Meer vorschiebt.

Seit ältester geschichtlicher Zeit diente der Fluss als Verkehrsweg. Händler aus Marseille, einer griechischen Kolonie, brachten auf ihm ihre Waren in die Länder des Nordens. In den vergangenen Jahrhunderten gab es einen regelmässigen Bootsdienst für den Waren- und Personenverkehr; im Frühjahr freilich, wenn die aus den Alpen kommenden Nebenflüsse – Isère, Drôme und Durance – Hochwasser herbeiführten, gab es nicht selten Schwierigkeiten. Als Madame de Sevigne zu ihrer Tochter nach Grignan fuhr, hatte sie schreckliche Angst vor „diesem Teufel von Rhône".

Der Bau der Eisenbahn versetzte der zwischen Lyon und Arles tätigen Gilde der Rhône-Schiffer einen vernichtenden Schlag. Immerhin veranstaltete 1914 die „Compagnie Lyonnaise de navigation de plaisance" eine erste Kreuzfahrt auf der Rhône. Das luxuriöse Schiff, das 1000 Passagiere befördern konnte, verfügte nicht nur über schöne

Speisesäle und etliche Kabinen, sondern auch über ein geräumiges Promenadendeck, so dass sich die Reisenden während der 250 km langen Reise die Beine vertreten konnten.

Regulierungsarbeiten, die seit mehr als einem halben Jahrhundert durchgeführt werden, haben nicht nur den Lauf der Rhône, sondern auch die Landschaft verändert. Man verfolgt damit mehrere Ziele: Vermeidung von Überschwemmungen, Bau von Wasserkraftwerken und Bewässerung der unteren Rhône-Ebene, in der inzwischen schon zahlreiche Obst – und Gemüseplantagen angelegt werden konnten.

Den Fluss sieht man heute nicht mehr vom Wasser, sondern von der ihn begleitenden Strasse aus. Auf halber Strecke zwischen Orange und Avignon ist das etwas abseits der Route Nationale 7 gelegene Châteauneuf-du-Pape ein herrlicher Aussichtspunkt, von dem aus man das Rhônetal bis zu den Palästen von Avignon überblicken kann. Wie schon der Name besagt, entstand der Ort um ein für die Päpste von Avignon errichtetes befestigtes Schloss, von dem allerdings nur noch eine Turmruine erhalten ist. Heute ist Châteauneuf-du-Pape wegen seines ausgezeichneten Weines bekannt.

„Ein kleines Arkadien an Pflanzungen, Gärten, Feldern, Maulbeer– und Ölbäumen" – so bezeichnete Louis Gillet das Gebiet der ehemaligen Grafschaft um Carpentras.

Im 12. Jahrhundert unter den Grafen von Toulouse war Carpentras die Hauptstadt der Grafschaft, aber schon vorher war es ein berühmter landwirtschaftlicher Markt gewesen. Die Stadt entwickelte sich im Schutz des gräflichen Schlosses, von dem noch der Uhrenturm erhalten ist. Im 14. Jahrhundert liess Papst Innozenz VI. eine mächtige Stadtmauer mit 32 Türmen und 4 Toren errichten; behördlicher Unverstand liess sie im 19. Jahrhundert abreissen. Geblieben ist nur noch das Oranien-Tor.

Das bemerkenswerteste Bauwerk ist die Kathedrale Saint-Siffrein, benannt nach einem heiliggesprochenen Mönch, der Bischof der Stadt wurde und um 555 die erste Kirche erbauen liess. Im 12. Jahrhundert wurde sie im romanischen Stil umgebaut, stürzte aber um 1400 ein. Reste dieses Bauwerks, dessen Vorhalle ein römischer Triumphbogen bildete, sind noch zu sehen, wenn man vom Justizpalast her kommt. Es dauerte ein volles Jahrhundert, bis die Kirche, diesmal im gotischen Stil, wiederaufgebaut war. Der Chor der einschiffigen Kirche ist von einem Kapellenkranz gesäumt; das Innere ist reich geschmückt.

In der Nähe des aus dem 18. Jahrhundert stammenden Rathauses erinnert die Synagoge – wie in Cavaillon – an den Schutz, den die Grafen von Toulouse und später die Päpste von Avignon den jüdischen Gemeinden in der Grafschaft gewährten. Errichtet wurde die Synagoge im ausgehenden 14. Jahrhundert; neu aufgebaut wurde sie um die Mitte des 18. Jahrhunderts.

Zu erwähnen sind ferner das Spital mit seinen

Fayencen aus Moustiers, mehrere Museen, der Aussichtspunkt „Hufeisen", von dem aus man einen prächtigen Blick auf den Ventoux hat, und die Berge, die die Stadt ringsum säumen.

Vor Carpentras war das benachbarte Pernes-les-Fontaines die Hauptstadt der Grafschaft. Die an der Nesque liegende Stadt verdankt ihren Namen ihren 32 Brunnen. Die romanische Kirche Notre-Dame-de-Nazareth wurde im ausgehenden 14. Jahrhundert umgebaut. Das nahe Tor stammt aus dem 16. Jahrhundert. Unter den Brunnen hat der Kormoran-Brunnen den ganzen Zauber des 18. Jahrhunderts bewahrt. Hinter dem Keulenbrunnen ragt der Ferrande-Turm aus dem 13. Jahrhundert auf; seine Fresken aus der gleichen Zeit erinnern an den Kreuzzug Karls von Anjou und zeigen Szenen aus dem Leben Wilhelms von Oranien.

***Links die Rhône bei Avignon. Oben Mitte Schloss und Weinberge von Châteauneuf-du-Pape. Unten ein Brunnen in Carpentras. Oben die Kathedrale von Carpentras. Auf den folgenden Seiten die Saint-Bénézet-Brücke in Avignon, im Hintergrund Villeneuve-lès-Avignon und der Turm Philipps des Schönen.***

AVIGNON

Avignon war zunächst ein kleines Fischerdorf, das in phönizischer Zeit zum Handelsplatz wurde. Als dann die Römer kamen, wurden herrliche Tempel, unter anderem für Herkules und Diana, errichtet, von denen nach der Völkerwanderungszeit freilich nur noch Ruinen übrig waren. Neues Unglück kam über die Stadt, als sie sich im 13. Jahrhundert den Albigensern anschloss, von König Ludwig VII. belagert und wieder fast dem Erdboden gleichgemacht wurde. Philipp der Schöne, Erbe der Grafen von Toulouse, überliess Avignon 1251 dem König von Neapel, Karl II., seinerseits Erbe der Grafen der Provence. Auf Betreiben des französischen Königs machte der Erzbischof von Bordeaux, Clément de Got, als Klemens V. zum Papst erhoben, 1309 Avignon zur Residenz des aus Rom vertriebenen Papsttums.

Fast 70 Jahre lang, während Rom durch die Auseinandersetzungen zwischen Welfen und Ghibellinen verunsichert war, residierten in Avignon sieben französische Päpste. Unter Klemens VI. ging die Stadt in päpstlichen Besitz über. „Johanna von Neapel hatte ihren Gatten ermordet. Sie brauchte Geld für eine Armee, die sie mit ihrem neuen Gemahl, Ludwig von Tarent, in ihr Königreich begleiten sollte. Deshalb begab sie sich nach Avignon, wo Klemens VI. sie mit grossem Pomp empfing, ihr 80 Goldgulden bezahlte und sich dafür eine reiche Provinz erkaufte".

Nun entstanden in der Stadt zahlreiche Kirchen und Paläste. Für die Errichtung und den Ausbau des Papstpalastes brauchte man 35 Jahre. Kardinäle, Kurtisanen, Händler und Glücksritter strömten zum päpstlichen Hof und machten aus Avignon nach den Worten Petrarcas „ein gottloses Babylon, einen Sündenpfuhl, eine Kloake". Längst sind die Menschen vergangen, aber ihre Werke sind geblieben. Der Papstpalast ist heute der Stolz der Stadt. Freilich hatte er unter der Gleichgültigkeit und Zerstörungswut der Menschen viel zu leiden. Avignon wurde nach der Rückkehr der Päpste nach Rom von päpstlichen Legaten verwaltet, die der Bevölkerung oft schwere Lasten aufbürdeten. 1792 erlangte die Stadt ihre Unabhängigkeit zurück und wurde zu einer revolutionären Kommune. Im Eiskellerturm des Papstpalastes fanden unter Jourdan schreckliche Massaker statt, die ihm den Beinamen „Halsabschneider" einbrachten.

Nach den ersten Wirren der Revolution, in deren Verlauf Napoleon 1793 die Stadt beschiessen liess, wurde der Palast zur Kaserne; das Zerstörungswerk ging bis zum Beginn unseres Jahrhunderts weiter. In *Reise durch Südfrankreich* berichtet Stendhal, wie die noch nicht übertünchten Fresken von den Bewohnern des Palastes von den Mauern gelöst und an Liebhaber verkauft wurden. Erst 1906 war der Staat bereit, den Palast der Stadt zurückzugeben. Mit der Restaurierung konnte man erst nach dem Weltkrieg 1914-18 beginnen; die Arbeiten zogen sich über Jahr-

***Oben: Die Rhône, die Brücke, der Palast und die Mauern von Avignon. „Avignon, Avignon, ganz mit Blumen übersät - Avignon, Verkünderin der Freude..." (Mistral). Links die Kapelle auf der Brücke. Unten der Platz vor dem Papstpalast und die Statue „brave Crillon".***

zehnte hin. Heute bieten die 15 000 Quadratmeter des Palastkomplexes wieder ein eindrucksvolles Bild.

Der Papstpalast besteht aus zwei neben – und nacheinander errichteten Bauten: dem auf die Zeit Benedikts XII. (1334-1342) zurückgehenden Alten Palast und dem Neuen Palast, den wir seinem Nachfolger Klemens VI. (1342-1352) verdanken. Besonders der Neue Palast lässt erkennen, mit welcher Pracht sich damals das Papsttum umgab. Zwischen den beide Paläste verbindenden Mauern liegen Ehrenhof, Kreuzgang und Garten. Von aussen wirkt der Palast wie eine wehrhafte Festung mit massigen Türmen. Sehenswert sind der Konsistoriensaal, die Johanneskapelle mit Fresken von Matteo Giovanetti, der Speisesaal, in den man die Reste der Fresken von Simone Martini verbracht hat, das Papstgemach mit Bibliothek und Terrasse, die Klementinische Kapelle, das mit Jagdszenen ausgeschmückte Hirschgemach und die Audienzsäle, in denen auch das päpstliche Gericht tagte.

Ab 1947 wurden auf Veranlassung von Jean Vilar, dem Direktor des „Théâtre National Populaire", im Palasthof Theateraufführungen veranstaltet. Mehr als zehn Jahre lang feierten Gérard Philipe, Jean Vilar und andere Schauspieler hier grosse Triumphe. Inzwischen ist aus dem Festival von Avignon eine grosse kulturelle Veranstaltung geworden. Theater– und Ballettaufführungen, musikalische Veranstaltungen und Filmvorführungen locken in jedem Sommer zahllose Menschen in die Stadt.

Die einstige Bischofsresidenz am Palastplatz, der Kleine Palast, stammt aus dem 14. und 15. Jahrhundert. Der von Kardinal Arnaud de Via erbaute Palast hat illustre Gäste gesehen: Cesare Borgia, Franz I., die Königin von Neapel, Anna von Österreich und vor allem den Kardinal Giuliano della Rovere, der hier residierte, bis er als Julius II. Papst wurde.

Während der Französischen Revolution wurde der Kleine Palast eingezogen und verkauft. Nacheinander diente er als Gefängnis, Lazarett, Seminar und Berufsschule. 1958 beschloss man, ihn zum Museum zu machen. Dieses wurde 1977 eröffnet. Es beherbergt die Schätze des Calvet-Museums und die Sammlung des Marquis von Campana, jenes glücklosen Kunstfreundes, dessen Güter während des Zweiten Kaiserreichs eingezogen wurden. Stark vertreten sind die Schule von Avignon (15. Jahrhundert) und die italienische Renaissance. Mit 300 Gemälden, 600 Plastiken, Keramiken, sowie Werken der Eisen– und Goldschmiedekunst ist das neue Museum sehr reich ausgestattet.

***Rechts:** In diesem Anbau des Papstpalastes residierten lange die Erzbischöfe von Avignon. **Unten** einer der zahlreichen Brunnen der Stadt und ein Teil der Mauer, die, 17 km lang, die Stadt umschloss.*

Der weisse Marmorthron der Päpste von Avignon steht in der nahen Kirche Notre-Dame-des-Domes. Deren durchbrochener Turm wirkt neben den massiven Palasttürmen ungemein schlank und elegant.

Der parkartig bepflanzte Doms-Felsen erhebt sich unmittelbar am Fluss; von ihm aus hat man einen herrlichen Ausblick auf die Rhône, auf das am anderen Ufer gelegene Villeneuve und die dahinterliegende Landschaft. Zu Füssen des Felsens sehen wir die Reste der berühmten Saint-Bénézet-Brücke, auf oder besser unter der man einst tanzte, wie uns ein Volkslied überliefert. Errichtet wurde sie der Legende nach von einem

***Der Papstpalast: Unten Eckkamin im Gemach eines Prälaten. Rechts oben und unten zwei Säle des Palastes, rechts aussen eine von Giovanetti ausgemalte Decke und Freskendetàil aus dem Gemach Klemens' VI.***

jungen Priester nach göttlichen Anweisungen. Sie wurde 1668 zur Hälfte zerstört; erhalten sind nur noch vier Bogen mit der romanisch-gotischen Sankt-Nikolaus-Kapelle.

Das unter dem Palastplatz gelegene Balance-Viertel, in dem einst fahrendes Volk lebte, wurde – nicht ohne Grund – als unbewohnbar erklärt, aber zum Glück wenigstens teilweise saniert. Ansonsten hat die Stadt, vor allem ausserhalb des Stadtkerns, durch moderne Hochbauten viel von ihrer einstigen Schönheit eingebüsst. Die von Viollet-le-Duc restaurierten Stadtmauern sind kaum mehr zu sehen. Ausser im Palastviertel kann man nur noch in der Altstadt den architektonischen Reichtum der Stadt der Päpste ermessen.

Wir können hier nicht alles erwähnen, was anzusehen sich lohnt. Den „Lebenskern" der Stadt bildet der Uhrenplatz zwischen dem Palastplatz und der nach Pariser Vorbild die Altstadt rücksichtslos durchschneidenden Rue de la République. In den umliegenden Strassen stösst man auf herrliche Bauten: auf die gotische Saint-Didier-Kirche aus dem 14. Jahrhundert, die prächtige Fassade des im 17. Jahrhundert von einem italienischen Baumeister errichteten Hôtel de Crillon, die Ruinen des Franziskanerklosters, die Kapelle der grauen Büssermönche, das Cölestinerinnenkloster mit seinem schönen gotischen Kreuzgang, die Saint-Symphorien-Kirche und herrliche Häuser, darunter der Palast, der früher das Calvet-Museum beherbergte, den Roure-Palast und viele andere; Details wie ein Balkon oder ein Flachrelief verraten, dass sie von vornehmen Bauherren errichtet wurden.

Die andere Seite der Rhône bietet uns nicht nur einen wunderschönen Blick auf Avignon, sondern auch die Gelegenheit, die Schwesterstadt zu besuchen, Villeneuve-lès-Avignon. Die „Neustadt" wurde von Philipp dem Schönen angelegt, nach dem ein stolzer Turm benannt ist. Von hier aus sollte das damals nicht zum französischen Königreich gehörige andere Ufer der Rhône im Auge behalten werden.

Auch Villeneuve hat sehr schöne Bauwerke aufzuweisen: die Stiftskirche Notre-Dame aus dem 14. Jahrhundert, das heute als Museum dienende Spital in einem Stadtpalast aus dem 17. Jahrhundert, der Palast des Prinzen von Conti, die Kapelle der grauen Büssermönche, die Kartause Val de Bénédiction mit ihrem von Mönchszellen gesäumten Kreuzgang und vor allem die Andreasfestung.

Diese wurde auf einer Anhöhe errichtet, dem Andaon-Berg gegenüber dem Doms-Felsen. Die im 14. Jahrhundert erbaute Anlage umschloss ein Kloster und ein Dorf. Die Doppeltürme – Reste des Benediktinerklosters – und die romanische Kapelle sind aus jenem wunderschönen Gestein erstellt, dessen warmen Farbton Corot im vergangenen Jahrhundert so einfühlsam wiedergegeben hat.

***Links die sogenannte „Münzstätte des Papstes" gegenüber dem Papstpalast und Detail des Dekors. Rechts das sogenannte „Ablassfenster". Oben das Schloss Barbière in der Nähe der Stadt.***

## AUF DEM ANDEREN RHONE-UFER

Die Provence wird im Westen von der Rhône begrenzt, aber wer den Spuren der Römer folgen möchte, sollte von Avignon aus auch Abstecher ins Languedoc machen, denn zu römischer Zeit bildete das Gebiet beidseits der Rhône eine Einheit. Schon vor der Zeitenwende entstanden in Südfrankreich grossartige öffentliche Bauten, unter denen der Pont du Gard mit Recht als eine der interessantesten Bauschöpfungen der Antike angesehen wird.

Die Brücke ist Teil eines Aquädukts, der einst Quellwasser aus dem Gebiet von Uzès bis nach Nîmes leitete. Im Laufe der Jahrhunderte und besonders während der Wirren der Völkerwanderungszeit wurde die über 50 km lange Wasserleitung mehrmals unterbrochen, um dann im 9. Jahrhundert endgültig aufgegeben zu werden. Erhalten geblieben ist der herrliche Teilabschnitt, der über das Tal des Gardon führt. Drei sich nach oben hin verjüngende Bogenreihen überspannen den Talgrund in fast 50 m Höhe. Die bis zu 6 Tonnen schweren Blöcke sind ohne Bindemittel aufeinandergefügt – eine gigantische Arbeit angesichts der einfachen technischen Hilfsmittel, die damals zur Verfügung standen.

Aber nicht nur in technischer Hinsicht, sondern auch in seiner Schönheit ist der Pont du Gard ungemein eindrucksvoll mit seinen unterschiedlichen Mauerverbänden, seinen in zweitausend Jahren von Sonne und Regen verwitterten Steinen – ein prachtvolles Beispiel dafür, wie harmonisch sich Menschenwerk in die Natur einfügen kann.

In Nîmes, im Brunnenpark zu Füssen des Mont Cavalier liegt die Nemausus-Quelle. Diesem keltischen Quellgott verdankt die Stadt ihren Namen. Einst war sie ein Hauptort der Volsker, von denen noch die Überreste eines quadratischen Tempels erhalten sind. Einen unerhörten Aufschwung nahm Nemausus nach der Besetzung durch die Römer im 1. vorchristlichen Jahrhundert. Nachdem Octavius nach dem Sieg über Antonius und Kleopatra zum Kaiser Augustus geworden war, erhob er die Stadt um 16 v.Chr. zur römischen Kolonie und siedelte hier griechisch-ägyptische Veteranen an (daher das Krokodil auf dem Stadtwappen).

Man errichtete eine 6 km lange Stadtmauer, die die im Laufe der folgenden zwei Jahrhunderte errichteten Bauten umschloss. Ihnen gilt heute das Interesse von Besuchern aus aller Welt. Aber kehren wir vorab zum Brunnenpark zurück, in dem Schöpfungen aus unterschiedlichsten Zeiten zu einem harmonischen Ganzen zusammengeschlossen wurden. Der gallische Tempel und die römischen Badeeinrichtungen wurden 1745 in eine Parkanlage eingebettet, die den Geist jener Zeit eindrucksvoll widerspiegelt. Ein Wachturm der Volsker war zweifellos die von den Römern auf 30 m Höhe aufgestockte Tour Magne auf dem Mont Cavalier. Der Dianatempel bei den Wasserbecken stammt aus der Zeit Hadrians; er wurde in ein Kloster verwandelt, brannte im 16. Jahrhundert aus und diente dann als Holzlager.

Die sicherlich bemerkenswertesten römischen

Bauwerke sind das Amphitheater (Arènes), ein nüchternes, aber grossartiges Bauwerk, und die Maison carrée, ein um 20 n.Chr. von Agrippa erbauter, seinen Söhnen, den „Prinzen der Jugend", geweihter Tempel. Einst fanden im Amphitheater Gladiatoren– und Tierkämpfe statt; im frühen Mittelalter wurde es durch Türme befestigt und diente als Wohnviertel, das erst 1809 wieder geräumt wurde. An die einstige Bestimmung des Bauwerks knüpfen die heute hier abgehaltenen Stierkämpfe an, die seit je in Nîmes sehr beliebt waren. Nachdem das Dach der Maison carrée eingestürzt war, wurde dieses herrliche Beispiel für die Übernahme griechischer Architektur durch die Römer zu Beginn des 19. Jahrhunderts restauriert. Heute beherbergt der Tempel ein Antikenmuseum mit Statuen, Bauplastiken, Figurenfriesen und Mosaiken.

Wie der Pont du Gard zeigen die Bauten in Nîmes, dass die Römer weniger als Eroberer denn als Kulturträger nach Gallien kamen: Tempel, Theater und Aquädukte sind weit zahlreicher als Festungsbauten. Religionskämpfe und Rassenhass haben in Nîmes schlimmere Andenken hinterlassen als die Römerzeit. Zu Beginn des 15. Jahrhunderts war die schöne Stadt zum unbedeutenden Weiler abgesunken. Erst unter Franz I. setzte ein langsamer Wiederaufstieg ein; heute ist Nîmes wieder eine ansehnliche, von regem Leben erfüllte Stadt.

***Nîmes: Links der Brunnenpark, rechts Wandelgang im Amphitheater. Unten der Pont du Gard, das Amphitheater von Nîmes und die Maison Carrée.***

Auf Strassen und Pfaden gelangt man zu Punkten, von denen aus man diese Harmonie bewundern kann – vom Talgrund aus, von der Brücke oder von den mit Steineichen und Heidekraut bestandenen Bergen ringsum. Der Pont du Gard ist die beste Hinführung zu den Römerbauten Südfrankreichs. Doch ehe wir uns weiteren Zeugnissen dieser Zeit zuwenden, machen wir einen Abstecher in eine jüngere Zeit, nach Uzès. Dieses Gebiet war das erste Herzogtum Frankreichs, und so heisst das Schloss Le Duché d'Uzès. Der Bermonde-Turm geht auf das 12. Jahrhundert zurück; im 14. und 16. Jahrhundert wurde er entsprechend dem Zeitgeschmack umgebaut. Aus dem 16. Jahrhundert stammt auch die schöne Renaissance-Fassade. Weitere Kleinode französischer Baukunst vom Mittelalter bis zur Renaissance sind der Fensterturm, die Kirche aus dem 16. Jahrhundert und der ehemalige Bischofspalast. Eine wunderschöne Promenade ist nach dem Dichter Jean Racine benannt, der in seiner Jugend ein Jahr in Uzès verbrachte.

***Links ein Portal in der Altstadt von Uzès; oben das Schloss von Uzès („Le Duché d'Uzès"). Rechts der Fensterturm. Unten die Orgel in der Kathedrale, eine der berühmtesten Orgeln Europas.***

## TARASCON UND BEAUCAIRE, DIE RIVALISIERENDEN SCHWESTERN

Beide Städte liegen sich an der Rhône gegenüber; die Türme ihrer Schlösser ragen dicht am Ufer empor. Die eine gehört zur Provence, die andere zum Languedoc; die eine liegt im „empire", die andere im „royaume" (mit diesen Ausdrücken bezeichneten einst die Rhôneschiffer die beiden Ufer).

Richelieu liess das Schloss von Beaucaire schleifen. Erhalten ist nur noch ein seltsamer dreieckiger Turm auf einer Anhöhe, auf der ein Park angelegt wurde. Auch der berühmte Markt von Beaucaire, zu dem jahrhundertelang aus nah und fern Boote und Kutschen herbeiströmten, ist nur noch Erinnerung.

Ein glücklicheres Los war dem zur Provence gehörenden Tarascon beschieden. Es hat sein festungsartiges, von mächtigen Türmen flankiertes Schloss behalten. Mit dem Bau wurde unter Ludwig II. von Provence im ausgehenden 14. Jahrhundert begonnen; fertiggestellt wurde es um die Mitte des 15. Jahrhunderts unter König René. Das sorgfältig restaurierte Bauwerk ist eines der bemerkenswertesten Beispiele für die Wehrbautechnik der Feudalzeit. Es besteht aus zwei Trakten: dem Herrensitz mit Ecktürmen und Ehrenhof. Von der Terrasse aus schweift der Blick über die beiden Städte, das Rhônetal und bis hin zu den Alpillen. Von aussen wirkt der Bau nüchtern und streng; um so mehr überrascht der anmutige, reich dekorierte Innenhof mit seinen Kreuzgewölben. Die restaurierten Säle vermitteln einen Eindruck vom höfischen Leben des 15. Jahrhunderts. Eine der Schlossfassaden ragt unmittelbar an der Rhône empor. Von hier aus wurden 1794 die Anhänger Robespierres in den Fluss geworfen.

Eng mit der legendenumwobenen Geschichte Tarascons verbunden ist die heilige Martha. Sie soll mit den heiligen Marien nach Jesu Tod aus Palästina gekommen sein, um das Evangelium nach Südfrankreich zu bringen. Sie zähmte den Tarasken, ein schreckliches Ungeheuer in Drachengestalt, das die Gegend in Angst und Schrecken versetzte; er bereute seine Übeltaten und stürzte sich zur Busse in die Rhône. Die Erinnerung daran hält ein 1470 von König René begründetes Fest lebendig, bei dem alljährlich ein Drache aus Pappmaché durch die Stadt geführt wird.

Ebenfalls schon zur provenzalischen Legende geworden ist in neuerer Zeit eine von Alphonse Daudet erfundene Gestalt, der Aufschneider und Prahlhans Tartarin von Tarascon. Aber wie der Schriftsteller selbst es formuliert hat: „In Frankreich ist jeder ein bisschen aus Tarascon."

***Links und oben rechts das Schloss von Tarascon. Rechts die Gabrielskapelle in Tarascon. Unten Blick auf die Rhône vom Schloss aus, auf dem anderen Ufer Beaucaire.***

## VON DER MONTAGNETTE ZUM LAND MISTRALS

Nördlich von Tarascon liegt zwischen Rhône und Durance eine Hügellandschaft mit schroffen Felshängen und verschwiegenen Tälern, die sogenannte Montagnette – eine typisch provenzalische Landschaft mit stark duftendem Heidekraut, silberschimmernden Ölbäumen und dunkelgrünen Pinien und Zypressen.

Das in einem Tal verborgene Kloster Saint-Michel-de-Frigolet verdankt seinen Namen dem ringsum üppig gedeihenden Thymian – auf provenzalisch *férigoul.* Errichtet wurde es im 10. Jahrhundert von den Benediktinern von Montmajour. Während der Französischen Revolution säkularisiert, wurde es zum Collège, in dem auch der junge Mistral einen Teil seiner Schulzeit verbrachte. 1858 kauften die Prämonstratenser das Gebäude zurück, vergrösserten es und kamen eigenartigerweise auf die Idee, es mit einer mittelalterlichen Festungsmauer zu umschliessen. 1880 lebten die religiösen Verfolgungen erneut auf. Mönche und „félibres", ein Bund neuprovenzalischer Dichter mit Mistral und Roumanille an der Spitze, verschanzten sich im Kloster, mussten aber schliesslich den gegen sie eingesetzten Truppen weichen. Im Ersten Weltkrieg diente das Gebäude als Internierungslager; erst danach wurde es an die Prämonstratenser zurückgegeben.

Ortschaften der Montagnette, die einen Besuch lohnen, sind Barbentane mit seinem Schloss aus dem 17. Jahrhundert und seiner einschiffigen romanisch-gotischen Kirche; Chateaurenard, von dessen Schloss nur noch zwei Türme („zwei Hörner auf der Stirn eines Hügels", wie Mistral schrieb) erhalten sind; Eyrargues und vor allem Maillane, der Geburtsort Frédéric Mistrals (1830-1914), der dort fast ein ganzes Leben verbracht hat. Er bewohnte zunächst im Ort selbst das

***In den Alpillen: Die Sixtuskapelle und alte Häuser in Eygalières. Oben ein typisches altes Steinhaus.***

„Eidechsenhaus" und später das ausserhalb des Dorfes gelegene, von ihm vergrösserte väterliche Haus, das „Richterhaus" (Mas du Juge), das heutige Mistralmuseum, in dem noch vieles an den Dichter erinnert. Begraben wurde er auf dem Friedhof von Maillane. Das Grabmal liess er nach dem Vorbild des Pavillons der Königin Johanna bei Les Baux gestalten. Mistral ist bei uns weniger bekannt. Sein grosses Verdienst war die Wiederbelebung provenzalischer Sprache und Literatur; dafür wurde er 1904 mit dem Nobelpreis ausgezeichnet. Als seine wichtigsten Werke gelten die Versdichtung *Mireia* und sein umfangreiches provenzalisch-französisches Wörterbuch.

***Oben Zypressen, die typischen Bäume der Provence; ein „mas" (Bauernhaus) bei Arles. Unten links die Abtei St-Michel-de-Frigolet; das Haus des Dichters Mistral in Maillane und zwei Tafeln auf der Fassade des Hauses. „Man sagt Mistral, wie man Homer sagt..." Folgende Seiten: Glanum bei Saint-Rémy-de-Provence.***

SAINT-REMY-DE-PROVENCE

In dem auf halber Strecke zwischen Rhône und Durance gelegenen Saint-Rémy-de-Provence kreuzen sich die Verbindungsstrasse zwischen Tarascon und Cavaillon und eine Nebenverbindung zwischen Avignon und Arles. Die Stadt im Herzen der Provence lohnt einen Besuch in verschiedener Hinsicht.

Von uralten Platanen gesäumte Prachtstrassen und ehrwürdige Stadtpaläste aus dem 16. Jahrhundert (Palais Mistral de Montdragon, heute Alpillen-Museum; Palais Sade, heute Archäologisches Museum) verweisen auf die Bedeutung der Stadt zur Zeit der Renaissance. Aber auch kulturell spielte Saint-Rémy eine Rolle: In der Rue Hoche ist noch das alte Haus zu sehen, in dem 1503 Nostradamus geboren wurde, der berühmte Astrologe, dessen Prophezeihungen ungeheure Beachtung fanden. Im Haus Roux in der Rue Carnot Nr. 5 dirigierte Gounod die Uraufführung seiner auf das Versgedicht von Mistral zurückgehenden *Mireille*.

Im Stadtzentrum erfreut die Place Pélissier durch schattenspendende Bäume und einen Brunnen; in einem Klostergebäude aus dem 17. Jahrhundert befindet sich das Rathaus.

Die Avenue Pasteur führt auf eine Anhöhe, von der aus man altehrwürdige Bauten sieht, die harmonisch in die von Tälern durchzogene Landschaft zwischen den Alpillen und der Ebene des Comtat eingebettet sind.

Eine Pinienallee führt zur einstigen Propstei Saint-Paul-de-Mausole mit ihrer kleinen romanischen Kirche aus dem späten 12. Jahrhundert und einem Kreuzgang aus der gleichen Zeit. Im letzten Viertel des 19. Jahrhunderts wurde hier eine Irrenanstalt eingerichtet; im Ersten Weltkrieg diente das Gebäude als Internierungslager für Deutsche. Auch der Elsässer Albert Schweitzer war hier untergebracht.

Bekannt wurde die Propstei jedoch vor allem durch Vincent van Gogh, der sich nach mehreren Nervenzusammenbrüchen im Mai 1889 freiwillig dorthin in Behandlung begab. Damals befanden sich in der Irrenanstalt etwa 15 Patienten. Die Briefe, die er an seinen Bruder Theo schrieb, lassen erkennen, dass er nie klarsichtiger und leidenschaftlicher seiner Kunst verhaftet war als in dieser Zeit; er überlegte sich auch, wie er anderen Malern helfen könnte: „Es wäre herrlich, hier Ausstellungen zu veranstalten, in all diesen leeren Räumen, in den grossen Korridoren..." Auf zahlreichen Bildern hat er seine Umgebung festgehalten – auf Bildern, die seine zerstörende Unruhe und innere Zerrissenheit deutlich wiederspiegeln.

Später richtete man in dem Raum, den der Maler bewohnt hatte, ein kleines Museum ein, aber das Gebäude verkam mehr und mehr. Trotz leidenschaftlicher Appelle von vielen Seiten dachte man nicht daran, aus diesem Trakt der Probstei das von van Gogh ersehnte „Atelier des Südens" zu machen. Das ist um so bedauerlicher, als die herrliche Landschaft einer Künstlerkolonie vielfältige Anregungen zu geben vermöchte. „Ach, mein lieber Theo", schrieb van Gogh, „wenn du nur die Ölbäume in dieser Jahreszeit sehen könntest! Der Ölbaum hat, wenn man ihn mit etwas vergleichen will, etwas von Delacroix..."

Auf der benachbarten Anhöhe finden sich zwei bemerkenswerte Bauwerke aus römischer Zeit. Das Mausoleum ist ein dreistöckiges Grabmal zu Ehren von Caius und Lucius Caesar, der Enkel

des Kaisers Augustus. Das unterste Geschoss schmücken kriegerische Reliefdarstellungen. Im zweiten, von Säulen gesäumten Geschoss stehen die Statuen der beiden jungen Männer. Gekrönt wird der Bau von einer Kuppel. Das Mausoleum ist eine der besterhaltenen römischen Bauschöpfungen in ganz Frankreich.

Der nahe Ehrenbogen aus den ersten Regierungsjahren des Augustus erinnert an die Einnahme von Marseille um 49 v.Chr., als ganz Gallien unter römische Herrschaft kam. Er ist zwar weniger gut erhalten als das Mausoleum, wirkt aber mit seinen ausgewogenen Proportionen und seinem reichen Figurenschmuck ungemein majestätisch. Darstellungen gefesselter Gefangener und Siegesgöttinnen mit Fahnen schmücken die Fassaden; Blumengirlanden bedecken das Gewölbe.

Diese beiden Bauten sind alles, was von der einst bedeutsamen Stadt Glanum übriggeblieben ist; mit den Ausgrabungen hat man vor etwa sechzig Jahren begonnen. Gegründet wurde der Ort in der Nähe einer heiligen Quelle von phokäischen Händlern aus Marseille. Die Ausgrabungen haben seit 1921 die Ruinen einer Stadt zutage gebracht, die von hellenisierten und später unter römischer Herrschaft stehenden Kelten angelegt worden war; die Baugeschichte reicht vom 2. vorchristlichen bis zum 1. nachchristlichen Jahrhundert. In den Kämpfen des Marius gegen die Kimbern und Teutonen wurde die Stadt zur Hälfte zerstört, erholte sich aber bald wieder. Die Lage an der Via Aureliana, die Spanien mit Italien verband, brachte ihr Wohlstand. Als im 3. Jahrhundert erneut germanische Stämme einbrachen, sank Glanum in Schutt und Asche und wurde von den Bewohnern aufgegeben. Die Kanäle verfielen; Anschwemmungen aus den Alpillen überdeckten die Ruinen.

Die heute wieder freigelegte Stadtanlage ist von grossem archäologischem Interesse. Sehenswert sind die Überreste hellenistischer Peristyl – und römischer Atriumhäuser mit Mosaiken, der Kybeletempel, die Thermen aus der Zeit Cäsars, das Forum mit weiteren Tempeln, von wo aus man durch ein hellenistisches Tor zum Nymphäum mit der heiligen Quelle gelangte.

Fundstücke aus Glanum hat man in Saint-Rémy im Palais Sade zusammengetragen. Graburnen, Keramiken, Gerätschaften und Schmuck vermitteln einen Eindruck vom Leben in der Römerstadt im 1. nachchristlichen Jahrhundert. Auch Sarkophage und Grabsäulen sind in dem während der Sommermonate der Öffentlichkeit zugänglichen Museum zu sehen.

Von dem Saint-Rémy beherrschenden Plateau mit den Überresten von Glanum aus führt eine kurvenreiche Strasse durch die Alpillen. Obwohl diese Hügelkette verhältnismässig niedrig ist – sie gipfelt in der Caume in 387 m Höhe –, wirkt sie wie ein Gebirge: Die kontrastreiche Landschaft mit ihren weissen, steil aufragenden Felswänden und tiefen Schluchten bietet ein eindrucksvolles Bild; von manchen Stellen aus schweift der Blick weit in die Ferne. Schmale Pfade ziehen sich an den Hängen entlang, und üppiges Grün bedeckt die Täler.

Zwar liegen Saint-Rémy und Les Baux nur acht oder neun Kilometer auseinander aber es wäre schade, wenn man diese Strecke in ein paar Minuten im Auto zurücklegen würde. Schon ein

***Römerbauten in Saint-Rémy-de-Provence, darunter das Stadttor und Detail des Girlanden-Torschmucks. Folgende Seiten: Les Baux-de-Provence.***

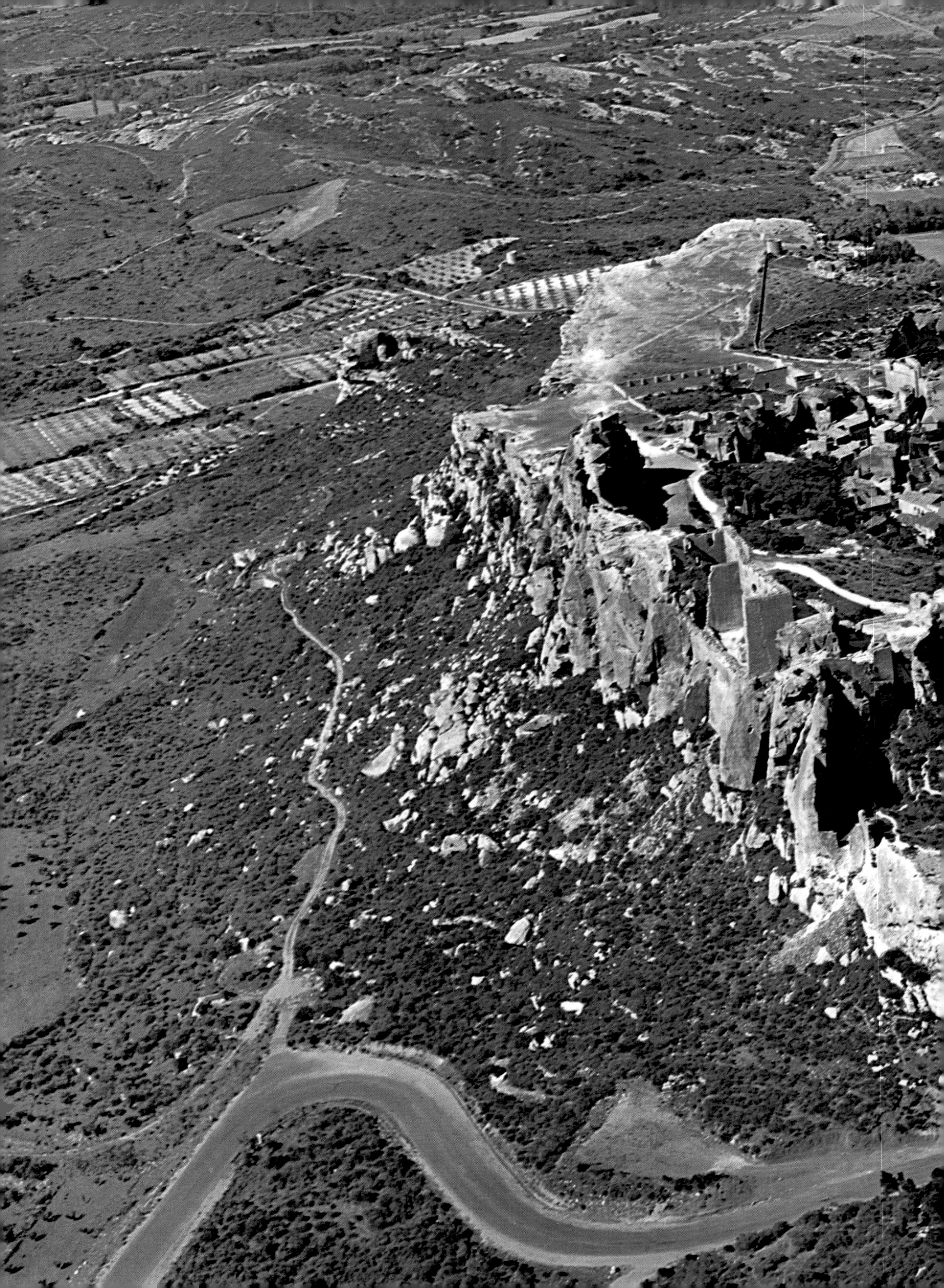

paar hundert Meter abseits der Strasse kann man zwei Freuden geniessen, die heute selten geworden sind: Einsamkeit und Ruhe. Eine Ruhe freilich, die im Sommer vom vielfältigen Leben der Bewohner dieser felsigen Einöde erfüllt ist, vom Zirpen der Grillen, vom Zwitschern der Vögel, vom Summen der Insekten. Und über allem liegt der Duft der Pinien, des Lavendels, des Thymians, der über die Hügel streicht.

Eine Stichstrasse führt nach Les Baux, eine Ortschaft von eindrucksvoller Fremdartigkeit, was Jean Cocteau bewog, hier die Aussenaufnahmen für seinen Orpheus-Film zu drehen.

Les Baux heisst nichts andere als „die Felsen" (provenzalisch *baou*). Seit dem 10. Jahrhundert war der Ort das Lehen einer reichen Familie („ein Adlergeschlecht, niemals Vasall", wie Mistral schrieb). Angeblich stammte die Familie von Balthasar ab, einem der Heiligen Drei Könige – daher der Stern von Bethlehem im Wappen der Lehnsherrlichkeit. Schon nach einem Jahrhundert zählte die Familie zu einer der mächtigsten weit und breit; durch Heiraten war sie in Frankreich mit den Fürstenhäusern von Anjou und Orange und in Italien mit den Grafen von Avellino und den Herzögen von Andria verbunden. Im Schloss wurde prächtig Hof gehalten; Troubadoure besangen die Verdienste und Reize der edlen Damen und die Macht der stolzen Herren.

Soviel Reichtum und Glück weckte Neid und Begierde. Ein Vicomte, Raymond de Turenne, der Vormund der Prinzessin Alix, zettelte einen Bürgerkrieg an, der die Grafschaft verheerte. Der in Avignon residierende Papst und der Graf der Provence boten ein Söldnerheer auf, um das Land von dem Gesindel zu befreien, das sich einen Spass daraus machte, Gefangene vom Schlossturm in die Tiefe zu werfen. Aber nun ergriffen die Söldner ihrerseits von der Grafschaft Besitz. Der französische König musste eingreifen. Raymond und seine Horden wurden am Ufer der Rhône bei Tarascon eingekesselt, der Vicomte stürzte sich in den Fluss und ertrank.

Les Baux wurde in die Provence eingegliedert, die Baronie wechselte immer wieder den Besitzer. Religionskämpfe brachen aus. Der Aufstände und immer wieder ausbrechenden Zwistigkeiten müde, liess König Ludwig XIII. das Schloss und seine Wälle schleifen – und dies auf Kosten der Bewohner von Les Baux. Zu Beginn des 20. Jahrhunderts war der Ort praktisch tot.

Heute ist Les Baux keine Stadt mehr, sondern nur noch ein Dorf mit schönen Häusern aus dem 16. Jahrhundert, die man in Hotels oder Souvenirläden umgewandelt hat. Die Ruinen der toten Stadt umschliessen die Ruinen des Schlosses – ein grossartiges, eindrucksvolles Bild, das freilich durch den einsetzenden Tourismus und die dafür geschaffenen Anlagen gelitten hat. Dennoch lohnen die alten Paläste, die Tore und Kirchen und die herrliche Lage einen Besuch.

Sehenswert sind die Saint-Vincent-Kirche an dem gleichnamigen, von Zürgelbäumen beschatteten Platz, das Haus des Königs, das Eyguière-Tor, die Kapelle der weissen Büssermönche und das Schloss, von dem freilich nur noch Mauerreste, Keller, ein Taubenhaus und der hoch aufragende Turm erhalten sind.

Nicht minder interessant sind ausserhalb des Ortes der Pavillon der Königin Johanna und das Höllental, eine wilde Schlucht, in der man inzwischen eine Strasse angelegt und Luxushotels errichtet hat.

***Oben zwei Ansichten der fruchtbaren Ebene beiderseits des Alpillen- Vorsprungs von Les Baux, rechts Kapelle der Büssermönche im Dorf, daneben die romanische Saint-Vincent-Kirche.***

Vom Frühjahr bis zum Herbst kommen viele Touristen, aber stark besucht wird Les Baux auch an Weihnachten, wenn um Mitternacht die berühmte Hirtenmette stattfindet. Emile Condroyer schilderte sie 1938 folgendermassen: „Dann erklingen hier in der altehrwürdigen Saint-Vincent-Kirche mit ihren flachen Bogengewölben und den in den Fels gehauenen Kapellen zwischen Hirten in groben Wollmänteln und Viehhütern aus der Camargue die provenzalischen Gesänge vor der in lebenden Bildern gestellten Krippe, wobei Mädchen die heiligen Gestalten des Weihnachtsgeschehens verkörpern. Der Priester predigt in der Langue d'oc. Und plötzlich singt eine helle Kinderstimme die Verkündigung des Engels an die Hirten. Dann beginnt das alte Oberhaupt der Hirten, lou baïle-pastre, auf Provenzalisch ein Zwiegespräch mit diesem unsichtbaren Engel. Danach zieht unter Flötenschall und Trommeln eine ganze Prozession zum Altar. Als Engel kostümierte Kinder tragen einen Stern aus Goldpapier auf der Stirn und Flügel aus Pappe auf dem Rücken; die Hirten tragen Kerzen in allen Farben; Frauen aus Arles mit ihren prächtigen Hauben führen in ihrer Mitte einen stolzen Widder, gestriegelt, herausgeputzt, eine grosse Glocke am Hals. An Seidenbändern zieht

er einen niederen Wagen mit einem aus Weidenruten geflochtenen Dach, das mit Rosmarin und Kerzen besteckt ist. Im Wagen, der fast wie ein geschnitztes Kinderspielzeug wirkt, blökt ein Lamm und streckt erschreckt seine rosa Schnauze den aus vollem Hals singenden Menschen ringsum entgegen."

An Weihnachten findet man in der Provence in vielen Häusern auf dem Land und in den Städten die sogenannten Santons-Krippen mit Figuren aus Holz oder Ton, eine Tradition, die in uralte Zeiten zurückreicht.

***Oben Ansichten des Schlosses von Les Baux; unten der Pavillon der Königin Johanna. Rechts Platz und Hauptstrasse des Dorfes. Folgende Seiten: Die Ruinen des Schlosses.***

PIZZA

VON FONTVIEILLE NACH MONTMAJOUR

Von Maussane aus führt eine Strasse am Südrand der Alpillen entlang. Man stösst auf sie bei Le Paradou, wenn man von Les Baux in Richtung Arles fährt. Gern macht man einen kleinen Abstecher durch die Täler zwischen von Mühlen gekrönten Anhöhen. Die „Mühle Daudets" wird noch heute von Literaturfreunden besucht. Aber auch hier ist die Legende an die Stelle der historischen Wirklichkeit getreten. Der in Nîmes geborene Alphonse Daudet, der schon in jungen Jahren nach Paris kam, liebte die Provence. 1862 weilte er in Fontvieille im Montauban-Schloss und trug sich mit dem Gedanken, eine der vom Zerfall bedrohten Mühlen zu erwerben. Aber der Plan zerschlug sich, und so schrieb der Dichter gleichsam in einer imaginären Mühle in Clamart bei Paris seine „provenzalischen Chroniken", die unter dem Titel *Briefe aus meiner Mühle* erschienen. Seine Angehörigen und grosszügige Freunde sorgten dafür, dass nach Daudets Tod sein Wunschtraum doch noch in Erfüllung ging: Sie restaurierten die Saint-Pierre-Mühle und richteten darin ein bescheidenes Daudet-Museum ein. Zu sehen sind dort Briefe, persönliche Andenken, die Erstausgaben seiner Werke und ringsum die Landschaft, die er mit so liebenswürdiger Anmut geschildert hat.

In weit frühere Zeiten reichen andere Sehenswürdigkeiten an der Strasse nach Arles zurück. Prähistorische Gräber auf dem Plateau von Le Castellet, die Katakomben von Bargeval, Dolmen und die Reste eines römischen Aquädukts beweisen, dass dieses Gebiet seit alters besiedelt war. Aber am eindrucksvollsten mit einer majestätischen Natur verbunden sind Werke von Menschenhand in Montmajour.

Im Mittelalter war der Hügel, auf dem sich

Montmajour erhebt, eine aus dem umliegenden Morast herausragende Insel. Sie diente als von Einsiedlern betreute Begräbnisstätte. Ein reicher Provenzale erwarb sie im 10. Jahrhundert und schenkte sie den Benediktinern. Eine erste Kirche wurde im 12. Jahrhundert durch einen grösseren Bau über der teilweise in den Felsen gehauenen Krypta ersetzt. Die im 14. Jahrhundert von den umherstreifenden Freikorps ausgehende Bedrohung machte den Bau eines Wehrturms nötig, der dem Kloster das Aussehen einer Festung verlieh.

Während der Französischen Revolution wurde das Kloster säkularisiert; im 19. Jahrhundert geriet es in Verfall. Ein in Arles gegründeter Förderungsverein brachte Hilfe, und schliesslich wurde die Bauanlage wieder vom Staat erworben, der Kirche und Turm restaurieren liess.

Die einschiffige romanische Notre-Dame-Kirche weist einen wunderschönen Kreuzgang auf, an den sich ein in den Fels gehauener Kapitelsaal anschliesst. Immer noch stolz wirkt der Klosterturm. Die in einiger Entfernung vom Kloster stehende kleine Heilig-Kreuz-Kapelle ist ein Kleinod romanischer Architektur des späten 12. oder frühen 13. Jahrhunderts.

***Oben und rechts die Mühle Daudets in Fontvieille; unten eine ländliche Kapelle in der Umgebung. Links Alpillen-Grate.***

*Altes Haus in Fontvieille. Rechts die Kapelle von Montmajour. Links die Strasse zwischen Arles und Montmajour.*

## ARLES, DAS KLEIN-ROM DER GALLIER

Mit diesen Worten feierte im 4. Jahrhundert der römische Dichter Ausonius Arelate, das heutige Arles. Damals erlebte die Stadt ihre grösste Zeit: Sie war ein Produktionszentrum, in dem vor allem Tuche, Schmuck und Waffen hergestellt wurden, war ein bedeutsamer Hafen, der auf der Rhône die Verbindung mit den Völkern des Nordens sicherte und der durch das Mittelmeer mit der Levante verbunden war.

Der von Ligurern gegründete Ort (Reste aus dieser Zeit haben neuere Ausgrabungen zutage gebracht) wurde von Cäsar um 46 v.Chr. zur Kolonie für seine Legionäre gemacht. Drei Jahre später sicherte der gegen Massilia (Marseille) ausgesprochene Bann den Aufstieg von Arles, das zur wichtigsten Stadt des römischen Galliens wurde. Noch heute zeugen zahlreiche Bauwerke von der langen Blütezeit. Im Kern der Altstadt zwischen der Rhône und dem Boulevard des Lices, der Lebensader des modernen Arles, liegen das Amphitheater (Arènes) und das Römische Theater (Théâtre Antique). Das Amphitheater stammt aus dem 1. oder 2. Jahrhundert, gehört also zu den ältesten erhaltenen Bauwerken dieser Art. Es hat eine wechselvolle Geschichte durchlebt. Nach dem Ende des Römerreiches wurde es zur Festung ausgebaut, und im Inneren errichtete man – vornehmlich mit den Steinen des Theaters selbst – mehr als 200 Häuser. Erst zu Beginn des 19. Jahrhunderts wurden deren Reste abgerissen, wurde das Theater restauriert. Wie in Nîmes hat das Amphitheater in Arles etwas von seiner einstigen Schönheit und Bestimmung zurückgewonnen: In diesem herrlichen Rahmen finden alljährlich im Sommer folkloristische Veranstaltungen und Stierkämpfe statt.

Das nahegelegene Römische Theater wurde unter Kaiser Augustus erbaut, doch viel ist von ihm nicht mehr erhalten: die Vorderseite der Bühnenwand mit zwei schönen Säulen und die Orchestra. Auch hier finden während des Sommerfestivals Aufführungen statt. Ebenfalls aus römischer Zeit stammen die Überreste eines Tempels beim Forum, die Konstantinsthermen, der Augustusbogen und vor allem die Alyscamps, eine frühchristliche Begräbnisstätte, die auf die späte Römerzeit zurückgeht.

Nach den Verwüstungen der Völkerwande-

***Arles: Blick auf eine alte Kirche durch einen Bogen des Amphitheaters. Oben Blick auf die Altstadt. Rechts die von van Gogh verewigte kleine Brücke.***

rungszeit kam Arles im Mittelalter zu neuer Blüte. Im 9. Jahrhundert wurde es die Hauptstadt eines freilich nur kurzlebigen Königreiches, fiel an das Heilige Römische Reich und im 13. Jahrhundert an den Grafen der Provence. Bauten zeugen vom Wiederaufstieg. Auf den Fundamenten einer karolingischen Kirche entstand im 11.-15. Jahrhundert ein Meisterwerk der südfranzösischen Romanik, die ehemalige Kathedrale Saint-Trophime, eine Bauschöpfung von seltener Harmonie und ungemein reicher Ausschmückung (Bauplastiken, Sarkophage, Tapisserien). Der Kreuzgang besteht aus je zwei sich entsprechenden romanischen und gotischen Bogengängen und zählt zu den schönsten in der Provence. Auch hier finden kulturelle Veranstaltungen statt, Konzerte und Ausstellungen. So findet man in Arles neben Meisterwerken der Baukunst auch ein reges kulturelles Leben.

Anderen Zeugen der reichen Geschichte begegnet man in den Museen der Stadt. Die durch Ausgrabungen zutage gebrachten Fundstücke sind im wesentlichen im Museum für heidnische Kunst (in der ehemaligen Kirche Sainte-Anne) zusammengestellt: Kaiserbüsten, Sarkophage, Skulpturen, Gefässe. Es fehlt lediglich die berühmte Venus von Arles, die man in drei Teilen in den Ruinen des Theaters gefunden hat; sie wurde von der Stadt König Ludwig XIV. zum Geschenk gemacht und befindet sich heute, von Girardon restauriert, im Pariser Louvre. Das Museum in Arles besitzt zwei Abgüsse, die vor und nach der Restaurierung gemacht wurden.

Das Museum für christliche Kunst ist in der einstigen Jesuitenkapelle aus dem 17. Jahrhundert untergebracht. Zu sehen sind dort Marmorsarkophage mit Reliefdarstellungen neutestamentlicher Szenen. Vom Museum aus gelangt man zu einem einstigen unterirdischen Kornspeicher aus dem 1. Jahrhundert v.Chr.

Weitere Sarkophage findet man auf den Alyscamps, einem wahren Freilichtmuseum, dessen Grossartigkeit freilich durch die verschandelte Umgebung stark beeinträchtigt wird. Am schönsten ist noch die von Zypressen eingerahmte Kirche Saint-Honorat mit Sarkophagen aus karolingischer Zeit.

Wer sich für regionale Traditionen interessiert, sollte noch zwei Museen besuchen. Im Palais Castellane-Laval aus dem 16. Jahrhundert befindet sich das von Mistral mit dem Nobelpreis verbundenen Geld gegründete Muséon Arlatan. Möbel, Trachten, kunsthandwerkliche Erzeugnisse und Druckgraphiken vermitteln einen Eindruck vom einstigen Leben in Arles. Die frühere Malteser Priorei (15. Jahrhundert) beher-

bergt ein Kunstmuseum, das Réattu-Museum. Gegründet wurde es von dem Maler Marcel Réattu (1760-1833). Vertreten sind hier französische, italienische und holländische Meister, aber auch Vlaminck, Metzinger, Léger, Brayer und Picasso (mit 70 Graphiken).

Doch ein grosser Künstler fehlt, dessen Andenken unvergessen ist. Vincent van Gogh hat vom Februar 1888 bis Mai 1889 in Arles gelebt. Es war eine seiner fruchtbarsten Schaffensperioden: 186 Gemälde und 124 Zeichnungen sind heute in aller Welt verstreut. Die Stadtverwaltung hat in der Stadt einen „Van-Gogh-Rundgang" ausgeschildert. Aber der einstige Lamartine-Platz existiert nicht mehr.

Das „kleine gelbe Haus", das „Nachtcafé" und das Haus der *Arleserin* wurden 1944 durch Bomben teilweise zerstört und später abgerissen; danach fielen der Sanierung des Cavalerie-Viertels auch die dortigen Bordelle zum Opfer, die van Gogh und Gauguin einst besuchten. Die „Van-Gogh-Brücke" an der Strasse nach Port-Saint-Louis wurde erst 1962 drei Kilometer von der ebenfalls verschwundenen Langlois-Brücke entfernt erbaut. Nur auf dem umliegenden Land findet man noch in den dunklen Zypressenhecken und den blühenden Obstgärten etwas von dem wieder, was van Gogh in seiner Arleser Zeit auf seinen Bildern festgehalten hat.

Alljährlich findet in Arles der „Salon International des Santonniers" statt, während gleichzeitig in Marseille ein Krippenfigurenmarkt abgehalten wird. Die Santons, typische Krippenfiguren, sind seit dem Mittelalter bekannt und werden heute noch in grosser Zahl hergestellt. Ausser Maria, Josef und dem Jesuskind finden wir Hirten und die Heiligen Drei Könige, aber auch Vertreter des einfachen Volkes, Scherenschleifer mit Schleifstein, Spinnerinnen mit Spinnrad, Händler mit Waagen, Fischer usw. Die bezaubernd naiven

Figuren sind aus Holz, Glas, Blei, Ton, Wachs und sogar aus Brotkrumen. Sie sind ein schönes Beispiel provenzalischer Volksfrömmigkeit.

***Arles: Links das Römische Theater und der Umgang des Amphitheaters. Oben die Zuschauerränge des Theaters und rechts Reste einer Mühle aus dem 4. Jahrhundert.***

*Arles: Oben der Turm der Saint-Trophime-Kathedrale, unten rechts Detail des Portals und der Garten des Kreuzgangs*

*Oben rechts die Alyscamps. Unten ein blühender Obstgarten in der Nähe von Arles, eines der Lieblingsmotive van Goghs.*

## DIE CAMARGUE

Die zwischen den beiden Mündungsarmen der Rhône, der Grossen Rhône im Osten und der Kleinen Rhône im Westen, gelegene Camargue ist eine von Kanälen durchschnittene, mit Weihern übersäte grosse Ebene, auf die ständig die Wassermassen des Stromes und des Meeres einwirken. Geschaffen wurde die Camargue durch die Anschwemmungen der Rhône; noch heute schiebt sich die Küstenlinie an manchen Stellen des Mündungsdeltas jährlich um 10 bis 50 Meter weiter ins Meer vor. Anderseits tragen die anbrandenden Meereswogen bei stürmischem Wetter wieder Küstenland ab. So hat sich der Unterlauf der Rhône in vielen Jahrhunderten ständig gewandelt. Das Gebiet des Flussdeltas ist eine einzigartige Landschaft, unterscheidet sich völlig von der übrigen Provence, auch von der benachbarten Crau, die durch inzwischen allerdings geregelte Anschwemmungen der Durance entstanden ist.

Besiedlung und wirtschaftliche Nutzung der Camargue waren und sind durch die natürlichen Gegebenheiten bedingt. Entwässerungskanäle zum Etang de Vaccarès, dem grössten See des Flussdeltas, und die Zufuhr von Süsswasser von der Rhône haben es erlaubt, den Boden teilweise zu entsalzen und kultivierbar zu machen. Grosse Flächen rings um die *mas*, die Bauernhöfe in der Camargue, sind mit Weizen, Reben und – besonders seit Kriegsende – auch mit Reis bepflanzt. Besonders im Norden des Dreiecks spielt die Schafzucht noch eine grosse Rolle; im Frühjahr werden die Herden auf Bergweiden getrieben. Im Süden werden halbwilde Pferde und Rinder gezüchtet. Sie grasen das ganze Jahr über im Freien, bewacht von berittenen Hirten, die zum Teil noch den breitkrempigen Filzhut und den Dreizack tragen – fast fühlt man sich bei ihrem Anblick in den Wilden Westen versetzt!

Von Arles aus kann man auf mehreren Wegen die Camargue durchstreifen und ihre vielfältigen Gesichter kennenlernen. Eine Strasse führt nach Les Saintes-Maries-de-la-mer, eine andere parallel zur Grossen Rhône nach Salin-de-Giraud und zum Strand von Faraman. Auf einer dritten Strasse gelangt man schliesslich über Saint-Gilles-du-Gard nach Aigues-Mortes im zum Languedoc gehörenden Teil der Camargue; sie führt weiter zum Touristenzentrum La Grande-Motte hinter Le Grau-du-Roi.

Trotz dieser Strassen sind noch weite Gebiete der Camargue nicht ohne weiteres zugänglich. Eine kurze Rundfahrt vermittelt nur einen flüchtigen, wenn nicht gar falschen Eindruck. Von

***Rechts Camargue-Pferde vor der Sainte-Croix-Kapelle von Montmajour. Oben Stoiere, unten Wassertiere auf den Strandseen der Camargue.***

der reichen Folklore zeugen verschiedene Museen, so im Mas du Pont-de-Rousty an der Strasse nach Les Saintes-Maries, wo ausserdem ein Lehrpfad durch die Umgebung führt. Hinter Albaron, einer mittelalterlichen Feste, stehen in Le Pont-de-Grau bei Ginès den Besuchern ein Informationszentrum und ein Vogelschutzgebiet offen. Das Wachsfigurenkabinett von Boumian bei Les Saintes-Maries stellt uns das Leben in der Camargue vor Augen, wie es sich vor einem Jahrhundert abgespielt hat.

Mündliche Überlieferung hat über viele Jahrhunderte hinweg die rührende Legende von den heiligen Marien lebendig erhalten, die um 43 n.Chr. an der Stelle gelandet sein sollen, wo sich heute Les Saintes-Maries-de-la-mer erhebt. Einige Jahre nach Christi Tod luden die Juden von Jerusalem Angehörige und Anhänger des Herrn auf ein Boot, um sie dem Meer preiszugeben: Maria, die Mutter des Jakobus und Schwester der Jungfrau Maria, Maria Salome, die Mutter des Apostels Johannes, den wiedererweckten Lazarus und seine beiden Schwestern, Martha und Maria Magdalena, die Sünderin, Maximinus und Sidonius, den durch Jesus geheilten Blinden. Die am Strand zurückgebliebene Sarah, die schwarze Dienerin, konnte dank des Mantels, den Maria Salome aufs Wasser warf, auf das Boot gelangen.

Schon dieses Wunder zeigte, dass die Ausgestossenen unter göttlichem Schutz standen. Ohne Segel und Ruder trieb das Boot in westlicher Richtung, bis es schliesslich am Strand der Camargue landete. Aus Dankbarkeit errichteten die Geretteten ein Bethaus, und mehrere von ihnen zogen nach Norden, um den Bewohnern dieser Gebiete die Frohbotschaft zu bringen. Erinnerungen daran gibt es in Aix, Tarascon, Marseille und La Sainte-Baume. Nur die beiden Marien und Sarah, die Dienerin, starben dort, wo sie gelandet waren. Ihre Gräber wurden zum Wallfahrtsziel. Im 9. Jahrhundert wurde das Bethaus durch eine Kirche ersetzt. Sarah wurde zur Schutzheiligen des fahrenden Volkes. Im 12. Jahrhundert wurde im Weiler, der zahlreiche Pilger anzog, zum Schutz von Überfällen der Sarazenen eine noch heute existierende Wehrkirche erbaut. Die „Zigeunerwallfahrt" lockt am 24. und 25. Mai alljährlich zahlreiche Gläubige und Neugierige an. Zu diesem Anlass werden die Reliquienschreine aus der Oberkapelle durch die Strassen getragen, gefolgt von einer langen Prozession von berittenen Hirten, Frauen in der Tracht von Arles und Zigeunern aus aller Welt. Es ist das grösste Fest des fahrenden Volkes, das sich am Abend um die Lagerfeuer sammelt und bei Gitarren– und Tamburinklang tanzt.

Auch als Sommerfrische ist Les Saintes-Maries-de-la-mer sehr beliebt. Viele neue „Hirtenhäuser" wurden errichtet, doch handelt es sich meist um Zweitwohnungen von Städtern. Jenseits des breiten Badestrandes in Richtung der Kleinen Rhône sind die von van Gogh einst so geliebten und oft gemalten farbenfrohen Fischerboote fast völlig verschwunden.

Die Wehrkirche vereint Anmut mit Kraft. Der Kirchturm wirkt wie ein Burgturm; Zinnen krönen das Bauwerk. Streng ist das einschiffige Kircheninnere mit Marmorsäulen im Chor. Ein Brunnen diente einst während Belagerungen der Wasserversorgung. In der Krypta ruhen die Überreste der heiligen Sarah. Rings um ihre Statue hängen Votivbilder, die von Zigeunern gestiftet wurden. Das Alte Rathaus beherbergt ein

***Die Boote von Vaccarès. Eine Hirtenhütte. Ein junger Provenzale auf einem ungesattelten Pferd. Am Ufer eines Strandsees...***

von dem Marquis Folco de Baroncelli eingerichtetes Museum der Camargue; Baroncelli hat sich zeitlebens für die Pflege der einheimischen Traditionen eingesetzt.

Seit jeher war die Camargue ein Vogelparadies mit einer aussergewöhnlich reichen, vielfältigen Flora, die im Frühjahr regelrechte Blütenteppiche bildet. Zum Schutze der Pflanzen und Tiere hat man einen grossen Naturpark geschaffen, der das Gebiet um den Etang de Vaccarès und den See selbst umfasst. Das sumpfige Gelände ist eine Zwischenstation für Zugvögel aus dem Norden, die in Afrika überwintern. Sie kommen aus Skandinavien und sogar aus Sibirien. Neben Reihern und Stelzenläufern sieht man vertrautere Arten wie Sperlinge, Möwen, Störche. Die durch die landwirtschaftliche Nutzung des Mündungsdeltas in ihrem Lebensraum beengten Flamingos leben in Kolonien im Gebiet des Etang de Vaccarès und am Südrand des Deltas auf den Sandbänken und Dünen westlich von Faraman.

Das an der Grossen Rhône gelegene Salin-de-Giraud grenzt bereits an das Industriegebiet von Port-Saint-Louis und Fos-sur-Mer. Der Mas de Méjanes nördlich des Etang de Vaccarès ist eine „manaderie": Hier werden Kampfstiere gezüchtet. Touristen können auf dem Landgut Pferde mieten, um durch die Camargue zu reiten, oder den Hütten der Hirten nachgebildete Ferienbungalows, um hier den Urlaub zu verbringen.

***Les Saintes-Maries-de-la-mer mit dem Kirchturm. Rechts hölzerne Votivtafel, daneben Blick auf eine Strasse des Ortes.***

## FONTAINE-DE-VAUCLUSE UND L'ISLE-SUR-SORGUE

„Zwei Paradiese voll Grün, voller Lieblichkeit, voller sanfter Musik" – mit diesen Worten bezeichnete Marcel Brion Fontaine-de-Vaucluse und L'Isle-sur-Sorgue. Das erstgenannte Städtchen ist durch ein ungewöhnliches Naturschauspiel und durch einen Dichter berühmt geworden. Hier tritt ein unterirdischer Fluss ans Tageslicht, dessen Wasser von der Hochebene von Vaucluse und vom Mont Ventoux kommen. Die Sorgue entspringt in einer Höhle in einem von Grün gesäumten Quelltopf. Je nach Jahreszeit wird mehr oder weniger Wasser ausgeschüttet. Am eindrucksvollsten ist das Schauspiel im Spätwinter und Frühjahr, wenn das Wasser schäumend emporquillt.

Die Quelle war schon den Römern bekannt; sie wird von Plinius erwähnt. Und Petrarca schrieb nicht ohne eine gewisse Eitelkeit: „Das durch

seine Wunder bereits berühmte Vaucluse ist durch meinen dortigen Aufenthalt und meine Lieder noch berühmter geworden!" Uns Heutigen ist der Dichter vor allem durch seine platonische Liebe zu Laura bekannt. Er war ihr am 6. April 1327 in einer Kirche in Avignon begegnet. Die tugendhafte Laura war bereits verheiratet, aber Petrarcas Liebe zu ihr erfüllte sein Leben und befruchtete sein Schaffen.

Mit 33 Jahren, zehn Jahre nach der schicksalhaften Begegnung, zog er sich in die Nähe von Vaucluse zurück, um seiner Geliebten zu gedenken, die nach weiteren elf Jahren, 1348, in Avignon durch die Pest dahingerafft wurde. „Ich studiere, meditiere, lese und schreibe im Freien wie im Hause", schrieb Petrarca. „Ich habe mir hier mein Rom, mein Athen, meine Heimat geschaffen."

Neben der schönen Laura gab es aber auch das sagenumwobene Ungeheuer Coulobre, einen grässlichen Drachen, den der heilige Véran zu erlegen vermochte. Ihm ist die kleine romanische Kirche des Ortes geweiht. Zu Ehren Petrarcas hat man 1804 eine Säule errichtet, und in einem an der Stelle seiner einstigen Wohnung errichteten Haus erinnert ein bescheidenes Museum an den Dichter.

Das sieben Kilometer entfernte, vom Fluss umschlossene L'Isle-sur-Sorgue wird als „Venedig des Comtat" bezeichnet. In der aus dem 14.-17. Jahrhundert stammenden Kirche des reizenden Städtchens finden sich Meisterwerke des „Grand Siècle" von Mignard, Simon Vouet und Parrocel. Ein öffentlicher Park mit dem moosbewachsenen Rad einer alten Mühle, schöne Stadtpaläste aus dem 16. und 17. Jahrhundert und auch der elegante Eingang zum Hospiz erinnern an den Adel, der einst das Städtchen prägte.

***Oben links und unten Fontaine-de-Vaucluse. Rechts und unten links Ruinen und Gesamtansicht von Oppède-le-Vieux.***

## AUSSERGEWÖHNLICHE DÖRFER AUF DEM PLATEAU VON VAUCLUSE

Das Plateau erstreckt sich zwischen dem Mont Ventoux und dem Lubéron-Gebirge und wird im Süden durch das Coulon-Tal begrenzt. In eines der zahlreichen bewaldeten Täler ist die 1148 gegründete Zisterzienserabtei Senanques eingebettet. Sie wurde 1544 von den Waldensern zerstört und ein Jahrhundert später wieder aufgebaut. Die wegen der Enge des Tales entgegen den Regeln des Ordens in zwei Quadraten angelegte Abtei mit Kirche und Kreuzgang wurde vom Orden aufgegeben. Eine kulturelle Vereinigung hat sie erworben und darin ein Studienzentrum für die Kulturen des Mittelalters eingerichtet.

Die Gegend ist von „bories" übersät, aus Steinen ohne Bindemittel errichteten Hütten, wie man sie schon im Neolithikum zu erstellen pflegte. Mehrere Hundert solcher Hütten aus dem 16. und 17. Jahrhundert sind erhalten.

Am Rand des Plateaus über dem Coulon-Tal liegt das von einem Schloss beherrschte Gordes mit seinen alten Häusern, die grösstenteils von den heute die Mehrzahl der Bevölkerung stellenden Künstlern restauriert wurden. Schon André Lhote und Marc Chagall weilten hier; dann kaufte Vasarely das Schloss, richtete dort seine Stiftung ein und gründete ein seinem Schaffen gewidmetes Museum von völlig neuer Art. Durch den Zustrom zahlreicher weiterer Künstler wurde das alte provenzalische Dorf zu einem lebendigen Mittelpunkt der modernen Kunst.

Das Schloss wurde von Bertrand de Simiane im 16. Jahrhundert an der Stelle einer Burg aus dem 14. Jahrhundert erbaut. Es bildet zusammen mit der umliegenden Landschaft eine Sehenswürdigkeit, die leider noch zu wenig bekannt ist.

Einen Besuch lohnt auch das etwa zehn Kilometer entfernt liegende Roussillon („rote Furche"), dessen Häuser ebenso ockerfarben sind wie der Grund, auf dem sie stehen. Das wie ein Adlerhorst am Berghang haftende Dorf ist eines der wichtigsten europäischen Zentren für die Ockergewinnung. Diesem Boden verdankt die Landschaft ihr eigenartiges Aussehen: Sie ist von steilen Schluchten durchzogen, deren Namen – Tal der Feen, Strasse der Riesen usw. – auf uralte Legenden zurückgehen.

Weiter nördlich, vor allem im Gebiet des Dorfes Saint-Cristol, ist das Plateau von zahlreichen „avens" zerklüftet. Mehr als 200 Höhlen und Tobel wurden entdeckt und erforscht, aber sie sind zum Teil schwer zu finden.

***Linke Seite: zwei Ansichten der Zisterzienserabtei Sénanques. Links das Dorf Rousillon und eine Dorfstrasse. Oben Blick in eine „borie" in Gordes.***

INS LAND DER DURANCE

Wir wollen jetzt die Rhône verlassen und uns wieder nach Norden wenden, um nach Durchquerung der öden Crau eine andere Provence zu entdecken, das Land der Durance, das sich vom unteren Rhônetal bis zu den Hochalpen erstreckt. Wie die Rhône diente die Durance seit alters als Verkehrsweg nach dem Norden, und sie ist kaum minder majestätisch und launenhaft. Man erreicht sie bei dem von einer mittelalterlichen Schlossruine beherrschten Orgon an der Strasse, die Salon mit dem auf dem Nordufer des Flusses gelegenen Cavaillon verbindet.

Das hügelige Flachland zwischen den Alpillen und dem Lubéron-Gebirge, zwischen Avignon und Aix, wird landwirtschaftlich intensiv genutzt. Hauptort und Verkehrsknotenpunkt ist Salon-de-Provence. Das aus dem 12.-16. Jahrhundert stammende Schloss (Château de l'Empéri) ist nach dem Erdbeben von 1909 restauriert worden; seit kurzem ist darin ein Militärmuseum untergebracht. Im 16. Jahrhundert war das Schloss der Treffpunkt eines literarischen Zirkels mit Malherbe als Mittelpunkt.

In der gotischen Stiftskirche Saint-Laurent ist Nostradamus beigesetzt, der berühmte Astrologe und Arzt, der in Salon lebte und dort 1566 starb, zehn Jahre nach der Veröffentlichung seiner aufsehenerregenden Prophezeihungen. Ansonsten ist die Altstadt mit ihren schattigen Innenhöfen, ihrem Brunnen und den Terrassencafés von typisch provenzalischem Reiz. Neues Leben brachte die Gründung der Staatlichen Fliegerschule, aus der die „Patrouille de France" hervorging.

Das am Nordufer der Durance gelegene Cavaillon ist durch seine Melonen bekannt. Die Stadt liegt zu Füssen des Jakobshügels, der einst eine römische Ansiedlung trug. Von dort aus hat man eine herrliche Aussicht auf die Alpillen und den Unterlauf der Durance.

Die zum Museum gewordene Synagoge von Cavaillon stammt aus dem 18. Jahrhundert. Sie erinnert an die Zeit der „vier Judengemeinden der Grafschaft", die wegen des von den Päpsten gewährten Schutzes als „Judenparadies" galt. Sehenswert sind ausserdem die Saint-Véran-Kirche, das Avignon-Tor, Überreste der Stadtmauer und der römische Triumphbogen.

Von Cavaillon aus kann man sehr schöne Ausflüge machen, in die Alpillen, in den Westteil des Lubéron-Gebirges und vor allem zu den Ruinen des Dorfes Oppède-le-Vieux mit seiner Kirche und dem längst unbewohnten Schloss, das über einer bewaldeten Schlucht aufragt.

Östlich von Gordes verläuft das Coulon-Tal zwischen den bewaldeten Kuppen des Plateaus von Vaucluse im Norden und dem Lubéron-Gebirge im Süden; beide gipfeln in mehr als 1000 Meter Höhe. Wildbäche aus den Wäldern von Saint-Lambert und Javon münden in den Coulon. An ihnen liegen am Fusse von Steilhängen und Bergkuppen Dörfer wie das einst von Schloss und Mauer geschützte Saint-Saturnin, Rustel, Gargas und Gignac, wo wie bei Roussillon der Ocker die Landschaft färbt und der Bevölkerung Arbeit bringt.

Das im Tal des Coulon erbaute Apt wurde von Madame de Sévigné als „Marmeladenkochtopf" bezeichnet – zu Recht, denn Stadt und Umgebung sind seit langem durch ihr „Eingemachtes" berühmt. Die aus dem 12. Jahrhundert stammende Sankt-Anna-Kathedrale wurde vom 15. bis 17. Jahrhundert umgebaut. Zwei Krypten, in

***Ansicht von Bonnieux. Eine Strasse in Saignon. Sonnenuhr auf einem Haus in Menèbres.***

ULTIMA FORSAN

denen man Überreste eines römischen Bauwerks erkannt hat, kreuzen sich unter dem Chor. Zu den Schätzen der Kathedrale gehört der 1096 in Damiette gefertigte „Schleier der heiligen Anna", der von einem Kreuzritter nach Apt gebracht worden sein soll.

Südlich des Städtchens verstellt das mächtige Lubéron-Gebirge den Horizont. An seinem Nordhang finden sich weitere Ortschaften: das wie eine Festung angelegte Bonnieux mit ummauertem Ortskern unterhalb einer Anhöhe mit Kirche und bewaldeter Hochfläche, Lacoste, im 18. Jahrhundert ein Lehen der Familie de Sade, zu der auch der berüchtigte Marquis gehörte, Buoux, dessen Festung auf das 5. Jahrhundert zurückgeht.

Eine Waldstrasse führt auf dem Gebirgskamm bis zum Mourre Nègre (1125 m) mit seiner Waldbrandwache.

Über den Südhang streichen die vom Mittelmeer herkommenden Winde. Hier entspringen Valadas, Reynarde, Clots und Ermitage, die in die Durance münden. Im Gebirgsvorland liegen Vitrolles, Cabrières, Cucuron mit seiner malerischen Altstadt, La Tour-d'Aigues mit seinem Schloss, in dem einst Katharina von Medici weilte, Loumarin, wo Albert Camus lebte und begraben ist, Pertuis mit dem „Haus der Königin Johanna", einem Palast im Stil der italienischen Renaissance. Das Gebiet von Apt und der Lubéron sind auch der Schauplatz der Romane von Henri Bosco, die vom Duft der Kräuter der Provence gleichsam durchtränkt sind.

***Oben Blick auf Apt. Rechts das Gut des Marquis de Sade mitten auf dem Land (Gebäude am oberen Bildrand). Unten das Schloss von Lourmarin.***

*Links die Kirche der Zisterzienserabtei Silvacane. Unten der Garten des Kreuzgangs, daneben ein Brunnen des Klosters und ein Teil der alten Stadtmauer von Manosque. Oben Sisteron.*

In der Mirabeau-Schlucht – dieses Land gehörte einst der Familie des Staatsmanns der Französischen Revolution – engen schroffe Felswände das Durance-Tal ein. Flussaufwärts, wo der Verdon einmündet, hat man die aus den provenzalischen Alpen kommenden Wassermassen durch die Talsperre von Cadarache aufgestaut, um mit ihnen die Turbinen eines Wasserkraftwerks zu betreiben und die Ebene zu bewässern. Die Ortschaften nördlich der Talsperre – Corbières, Volx und dazwischen Manosque – hat man vorsichtigerweise in einigem Abstand von der hier als „launische Ziege" bezeichneten Durance angelegt.

Manosque hat sich aus einem alten Stadtkern heraus entwickelt, dessen Kirchen und Häuser einst von zwei konzentrischen Ringmauern umschlossen waren; deren Verlauf lassen noch die an ihrer Stelle angelegten breiten Ringstrassen erkennen, an die sich die neuen Stadtviertel anschliessen. Die Altstadt mit ihren engen Gassen, kleinen Plätzen und unzähligen Touristenläden erstreckt sich zwischen Saunerie-Tor und Soubeyran-Tor (mit einem Glockentürmchen aus Schmiedeeisen). Romanische und gotische Stilelemente mischen sich in den Kirchen Notre-Dame und Saint-Sauveur.

In Manosque wurde 1895 Jean Giono geboren, der in seinen Romanen seine provenzalische Heimat so unvergesslich geschildert hat. Das Licht der Welt erblickte er im Haus Rue Grande Nr. 14 im Herzen der Stadt, aber seinen Lebensabend (er starb 1970) verbrachte er im Mont-d'Or-Viertel in einem geräumigen Haus, von dem aus der Blick weit über Manosque und das Durance-Tal schweift. Zwischen Tausenden von Büchern und Andenken aus aller Welt bewahrte Jean Giono etwas auf, das ihm am teuersten war: den Schusterhammer seines Vaters.

Im frühen 12. Jahrhundert fiel die Grafschaft an die Familie Forcalquier; Raimond Berenger V., Graf der Provence, hatte sie von seiner Mutter Garsende geerbt. Seine vier Töchter nannte man scherzhaft die „vier Königinnen": Eleonore heiratete den englischen König Heinrich II., Marguerite den französischen König Ludwig IX. (den Heiligen), Sanche wurde die Frau Richards, des römischen Königs, der für den Kaiserthron bestimmt war, und Beatrix die Frau Karls von Anjou, des Königs beider Sizilien.

Das Städtchen Forcalquier ist noch heute auf seine „vier Königinnen" stolz, aber an die grosse Zeit, in der sich in seinen Mauern hohe Herren und Diplomaten, Troubadoure und Händler aus aller Herren Ländern ein Stelldichein gaben, erinnert fast nichts mehr. Durch die umherstreifenden Freikorps im 14. Jahrhundert und durch die Hugenotten im 16. Jahrhundert wurde Forcalquier übel zugerichtet; besonders das Franziskanerkloster hatte unter den Religionskriegen schwer zu leiden. Heute ist es wiederhergestellt und der Öffentlichkeit zugänglich. Der Chor der Notre-Dame-Kirche wurde im 13. Jahrhundert erbaut und im 14. Jahrhundert geweiht.

Vom Saint-Michel-Platz mit seinem gotischen Brunnen steigt man zur Zitadelle empor, die wie das Kloster auf Befehl Heinrichs IV. von den Hugenotten zerstört wurde; erhalten ist die Kapelle Notre-Dame-de-Provence. Der Friedhof, auf dem die Opfer der Dominici-Affäre beigesetzt sind, ist von Eibenhecken eingefasst und parkartig kunstvoll bepflanzt. Auf der Anhöhe, auf der einst das Schloss der Grafen von Forcalquier stand, gibt eine Hinweistafel den Touristen Auskunft über die nähere Umgebung.

Einen Besuch lohnt das nahe, im 10. Jahrhundert gegründete, mehrmals zerstörte und wieder aufgebaute Benediktinerkloster Ganagobie auf einer Hochebene mit interessanten archäologischen Zeugnissen, Resten einer Megalith-Anlage, einer Kirche aus dem 5. Jahrhundert, eines befestigten karolingischen Lagers usw. Weit reicht der Blick über den ganzen Mittellauf der Durance.

Talaufwärts gelangt man über Peyruis und Volonne nach Sisteron; dahinter beginnen die Hochalpen.

Für den Besucher aus dem Norden ist Sisteron ein zweites „Tor zur Provence". Die Stadt liegt auf dem gleichen Breitengrad wie Mondragon und wie dieses an der Nordgrenze des Verbreitungsgebiets des Ölbaums. Trotz gelegentlich strenger Winter wölbt sich über den schroffen Felshängen der umliegenden Berge ein mittelmeerblauer Himmel.

Hoch über der Durance und der an einem Hang erbauten Stadt ragt die im 11. Jahrhundert erbaute Zitadelle empor. Die noch erhaltenen Türme gehörten zu der im 14. Jahrhundert errichteten Stadtmauer. Darunter liegt die schöne, im 12. Jahrhundert entstandene romanische Notre-Dame-Kirche. Durch Sisteron führt die berühmte Route Napoléon, die Grenoble mit dem Mittelmeer verbindet. Die Stadt ist ein vorzüglicher Ausgangspunkt für Ausflüge in die Alpen, zur Pierre-Ecrite-Schlucht, nach Authon und ins schöne Jadron-Tal im Westen.

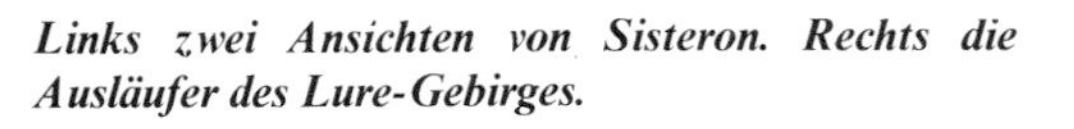

***Links zwei Ansichten von Sisteron. Rechts die Ausläufer des Lure-Gebirges.***

*Links außen ein Haus in Lure. Oben eine Hochebene in der Hochprovence. Links Blick auf Forcalquier. Unten ein altes Tor in Lure und Blick auf das Dorf Montfort. Nächste Seiten: Das Dorf Sainte-Croix und das Verdon-Tal.*

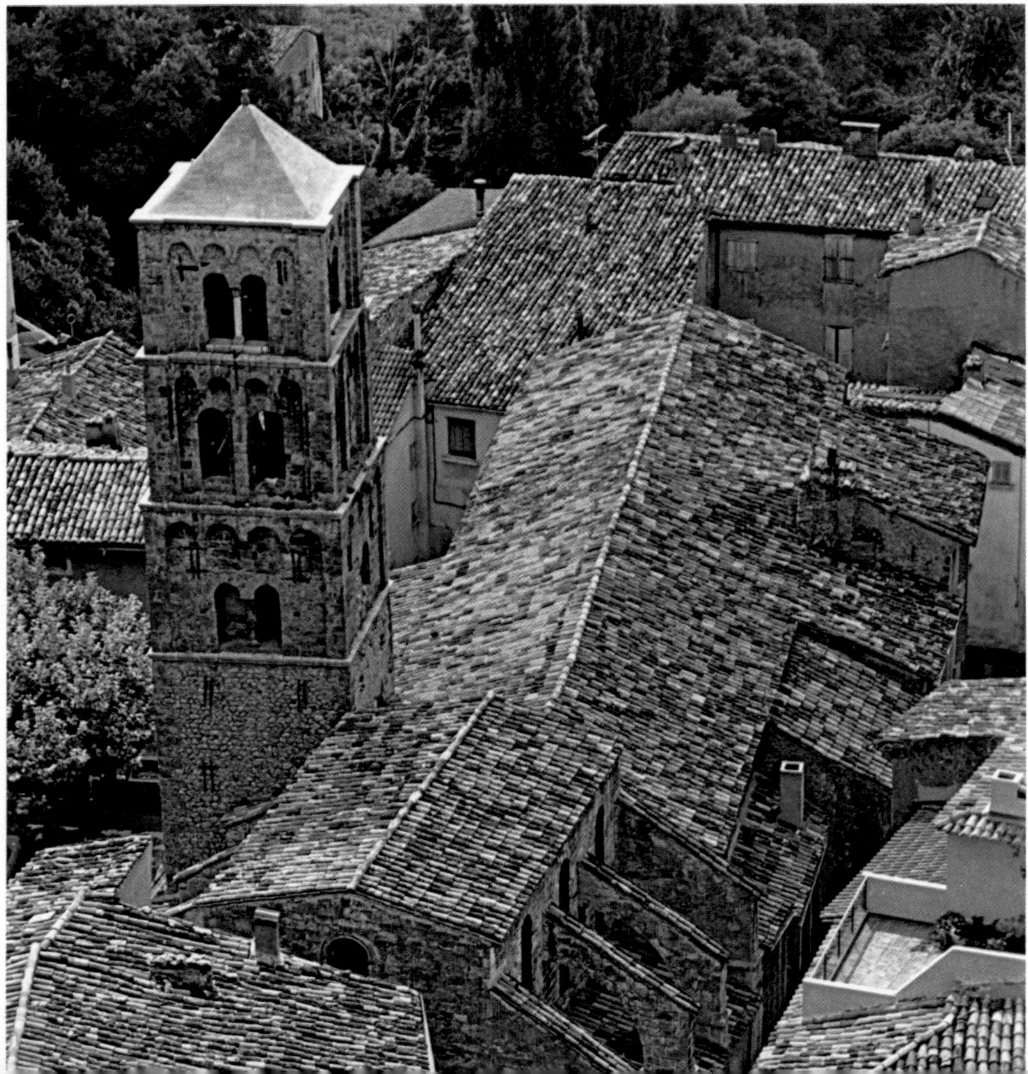

## MOUSTIERS UND DER GRAND CAÑON DU VERDON

Bei dem als Grand Cañon bezeichneten Abschnitt des Verdon-Tales handelt es sich um eine tief ins Gestein eingeschnittene, mehr als 20 km lange Schlucht mit einer Sohlenbreite von stellenweise nur 6 m und einer Tiefe bis zu 700 m. Erforscht wurde der Cañon von E.-A. Martel, dem Begründer der Höhlenforschung; er durchstieg ihn als erster in drei mühevollen Tagen im August 1905. Der Öffentlichkeit zugänglich gemacht wurde die Schlucht vor etwa dreissig Jahren durch den Französischen Touring-Club; es kostete einen Tag und viel Schweiss, um zu dem einsamen Weiler Rougon zu gelangen, wo es damals noch kein elektrisches Licht gab.

Nach dem Zweiten Weltkrieg hat man durch entsprechende Bauten die Wasserführung reguliert, aber noch heute ist die Durchquerung der Schlucht zu Fuss oder im Kajak eine sportliche Leistung, die Ausdauer und Umsicht voraussetzt, denn wenn die Stauwehre geöffnet werden, kann das Wasser in Minutenschnelle stark ansteigen. Deshalb empfiehlt es sich, in La Palud einen ortskundigen Führer zu nehmen.

Aber auch vom Auto aus kann man die Schönheiten des Grand Cañon bewundern: 1947-1953 wurden auf den Höhen beidseits der Schlucht Strassen angelegt, und wo besonders lohnende Aussichten winken, hat man Aussichtspunkte errichtet.

Wer aus der Provence kommt, besucht den Cañon am besten von Moustiers-Sainte-Marie aus, einem bezaubernden Städtchen auf halber Höhe an einem Hang, überragt von zwei riesigen

Felsen, die ein Gigantenschwert gespalten zu haben scheint. Gegründet wurde der Ort von Mönchen, wie der aus *monasterium* (Kloster) abgeleitete Name Moustiers verrät. Einen wirtschaftlichen Aufschwung brachte besonders im 17. und 18. Jahrhundert die Herstellung sehr berühmter buntbemalter Fayencen. Nach einer Zeit des Niedergangs wurde die Tradition neu belebt; heute sind Moustiers-Fayencen wieder stark gefragt.

Rings um die romanische Kirche mit ihrem viereckigen Turm verlaufen malerische, teils überwölbte Gassen und Treppen. Über dem Städtchen liegt die Notre-Dame-Kapelle zwischen den beiden Felsen, deren Spitzen durch eine 277 m lange Kette mit einem vergoldeten Stern in der Mitte miteinander verbunden sind – die Votivgabe eines Ritters. Gegründet wurde die Kapelle Notre-Dame-de-Beauvoir zur Zeit Karls des Grossen; im 12. und 16. Jahrhundert wurde sie umgestaltet. Von dem zu ihr hinaufführenden Weg aus sieht man tief auf die alten Dächer der Stadt herab.

Von Moustiers-Sainte-Marie aus führen zwei Strassen zum Grand Cañon. Nördlich der Schlucht gelangt man über Le Palud nach Castellane. Interessanter ist die Südstrasse, die „Corniche sublime", die bis zur Artuby-Brücke die Schlucht in schwindelnder Höhe begleitet und den Blick immer wieder bis zur Sohle des Cañons freigibt.

***Links Moustiers-Sainte-Marie mit seiner Kirche. Oben die Abtei von Le Thoronet. Rechts der Grand Cañon du Verdon.***

AIX-EN-PROVENCE, „NACH PARIS DIE SCHÖNSTE STADT FRANKREICHS"

Dieser Meinung war Präsident Des Brosses, der illustre Ahnherr des Fremdenverkehrs. Jean Cocteau äusserte sich in einem vielzitierten Vierzeiler im gleichen Sinn. Heute ist aus der einstigen römischen Garnison eine Domäne der studentischen Jugend geworden. 123 v.Chr. zerstörte der römische Konsul Sextius Calvinus das gallische Oppidum von Entremont und legte an dessen Stelle in der Ebene einen stark befestigten Militärstützpunkt an. Er nannte ihn Aquae Sextiae – Wasser des Sextius – nach den hier vorgefundenen Thermalquellen. An ihn und die Quellen erinnern in Aix noch heute der Cours Sextius und der (34°C warme) Thermalbrunnen am Cours Mirabeau.

Zwanzig Jahre später griffen die aus dem Norden gekommenen Teutonen den Stützpunkt an, wurden aber von dem grossen Feldherrn Marius vernichtend geschlagen. Die Bewohner von Aix haben nie vergessen, was sie dem Römer verdankten: Sie tauften den Berg, zu dessen Füssen die Schlacht stattfand, Montagne Sainte-Victoire, und Marius wurde zu einem beliebten Taufnamen im französischen Mittelmeergebiet.

Im Laufe der Jahrhunderte hat die Stadt noch andere berühmte Persönlichkeiten gesehen, deren Büsten an Strassen und auf Plätzen zu sehen sind. Einen prächtigen Hof hielt „der gute König René", Herzog von Anjou und Graf der Bretagne, König von Sizilien, Ungarn und Jerusalem, ein Gelehrter, der fünf oder sechs Sprachen beherrschte, Dichter, Maler und Musiker obendrein, der sich zudem noch eigenhändig um seinen Weinberg kümmerte.

Nachdem die Provence 1486 zu Frankreich gekommen und 1501 die Ständeversammlung geschaffen worden war, gewann Aix als Sitz des Parlaments neue Bedeutung. Der Neid der Nachbarn äusserte sich in Spottversen und Pamphleten; auf dem Cours machte der Spruch die Runde: „Parlament, Mistral und Durance sind die drei Geisseln der Provence..." Aber der Aufschwung war durch nichts aufzuhalten. Im 17.

***Aix-en-Provence: Oben Gesamtansicht der Altstadt um den Cours Mirabeau und die Allee des Cours Mirabeau. Rechts der Pavillon Vendôme, ganz rechts ein Markt.***

und 18. Jahrhundert errichtete man elegante Stadtpaläste, deren schöne Fassaden mit kunstvollen Portalen, Balkonen und Karyatiden man noch heute am Cours und in der Altstadt bewundern kann.

Im ausgehenden 18. Jahrhundert führte der Graf von Mirabeau in Aix ein recht bewegtes Leben, das ihm den Beinamen „Bourrasque" (Windstoss) oder „Ouragan" (Wirbelwind) einbrachte. Trotz seiner Hässlichkeit konnte er eine reiche Erbin heiraten, die freilich ihrerseits durch Skandale kompromittiert war. Als sich die Familie weigerte, für seine gewaltigen Schulden aufzukommen, wurde er in Manosque und dann im Château d'If eingekerkert. Nach seiner Freilassung wollten seine adligen Standesgenossen nichts mehr von ihm wissen. Deshalb liess er sich beim Ausbruch der Französischen Revolution zum Abgeordneten des 3. Standes wählen und spielte als glänzender Redner und Präsident der Nationalversammlung bis zu seinem Tod 1791 eine höchst bedeutsame politische Rolle.

Der beste Ausgangspunkt für einen Streifzug durch die Stadt ist der Cours Mirabeau mit seinen schattenspendenden Platanen und zahlreichen Brunnen. Die Place de la Libération, auf der der erste und jüngste dieser Brunnen steht, ist gleichsam der Dreh- und Angelpunkt der Stadt. Die linke Seite des Cours säumen Terrassencafés und Luxusgeschäfte; auf der rechten stehen die immer noch ein wenig unnahbar wirkenden Stadtpaläste. Links schliesst sich die Altstadt an. Sehenswert sind der Rathausplatz mit seinem Uhrenturm – romanisches Fundament, mittelalterlicher Aufbau, Renaissance-Bekrönung – und das Rathaus selbst mit seiner barocken Fassade;

es beherbergt die berühmte Méjanes-Bibliothek. Ein eigenartiges Stilgemisch bietet die Saint-Sauveur-Kathedrale mit einem Taufbecken aus dem 5. Jahrhundert, einem romanischen Kreuzgang, hochgotischem Langhaus und Renaissance-Portal. In der Kathedrale kann man das ausgezeichnet erhaltene, von Nicolas Froment im Auftrag von König René geschaffene berühmte Triptychon mit der biblischen Geschichte vom brennenden Dornbusch bewundern.

Farbenfrohe Gemüse- und Blumenmärkte finden wir zu Füssen des Wehrturms, auf der Place des Prêcheurs, vor der Kirche Sainte-Marie-Madeleine. Enge Strassen zwischen hohen Häusern sind nach den Handwerkern benannt, die hier einst ansässig waren: Schusterstrasse, Färbergasse, Wollkämmerplatz... Auf der anderen Seite des Cours liegen die gotische Kirche Saint-Jean-de-Malte, der schöne Delphinbrunnen, das Granet-Museum, das Museum der Schönen Künste und das Paul-Arbaud-Museum mit Möbeln, Graphiken und Fayencen aus der Provence. Es gibt viele Museen in Aix, denn seit alters haben Kunst und Literatur in dieser Stadt eine grosse Rolle gespielt. In dieser Tradition stehen auch die Veranstaltungen während der Sommermonate, die Lyrik- und Musikfestspiele im Juli, die Strassenmusik, die Antiquitätenmesse und die Ausstellungen.

Diese finden grossenteils im Pavillon de Vendôme statt. In diesem im 17. Jahrhundert errichteten Bau führte der Herzog von Vendôme ein so zügelloses Leben, dass ihn der empörte König zwang, sich zum Kardinal weihen zu lassen. Der elegante Palast liegt in einem stillen Park, in dem man wunderschön von einer Vergangenheit träumen kann, die einem in Aix auf Schritt und Tritt begegnet.

Die „hundert Brunnen", von denen der Dichter singt, sind keine Übertreibung. An zahlreichen Strassenecken und fast auf jedem noch so kleinen Platz findet man einen Brunnen.

***Aix-en-Provence: Links das Hôtel d'Albertas und der Turm der Augustinerkirche. Rechts der Pascal-Brunnen, der Rathausplatz, ein Portal am Cours Mirabeau, Portalplastiken an der Saint-Sauveur-Kathedrale.***

BAR
aix press plan

## RINGS UM DAS SAINTE-VICTOIRE-GEBIRGE

Aix-en-Provence ist nicht nur eine geschichtsträchtige Stadt der Künste, der heilsamen Quellen und des Fremdenverkehrs, nicht nur eine der bedeutendsten Universitätsstädte Frankreichs – für den Kunstfreund ist Aix vor allem die Stadt Cézannes. Hier wurde er geboren, hier ist er gestorben, hierher ist er immer wieder zurückgekehrt, als wollte er aus der Heimat neue Kraft, neues Licht schöpfen, um zu jenem einzigartigen Einklang zu finden, der ihn und seine Kunst mit der Provence eins werden liess.

Man kann – ein seltener Glücksfall – in Aix den Stationen seines Lebens folgen. Die Bewohner von Aix, die den Maler zu Lebzeiten verkannt und verspottet hatten – im Museum sind lediglich einige Aquarelle von ihm zu sehen –, waren um Wiedergutmachung bemüht: Gedenktafeln kennzeichnen sein Geburtshaus in der Rue de l'Opéra und sein Sterbehaus Rue Boulegon Nr. 23, aber auch den Hutmacherladen seines Vaters an der Ecke des Cours Mirabeau und der Rue Fabrot.

Die Avenue Cézanne führt zum Atelier des Lauves, das amerikanische Kunstfreunde vor dem Abbruch retten konnten und zu einem Cézanne-Museum gemacht haben. Das einst ausserhalb von Aix gelegene Jas-de-Bouffan, ein im 17. Jahrhundert vom Marquis von Villars, dem Gouverneur der Provence, errichtetes schönes Herrenhaus, das Cézannes Vater 1859 erworben hatte, ist heute von Neubauten völlig eingeschlossen und hat diesem Stadtviertel den Namen gegeben. Das Haus ist für die Öffentlichkeit nicht zugänglich, doch kann man durch die Gitter den wohlgestalteten Park und die strenge Fassade sehen.

Am Rand des Jas-de-Bouffan-Viertels erhebt sich ein von der Vasarely-Stiftung errichteter geometrischer Bau aus schwarzen und weissen Rechtecken. Er dient nicht wie in Gordes als Museum, sondern soll für Liebhaber der modernen Kunst ein „intellektuelles und kulturelles Werkzeug" sein.

Überragt werden Aix und die umliegende Ebene von der im Sonnenlicht hell schimmernden

Masse des mächtigen Sainte-Victoire-Gebirges, das in 1011 m Höhe gipfelt. Cézanne hat den sich scharf vom blauen Himmel abhebenden Koloss immer wieder gemalt. Wege führen an den Hängen des Berges empor, auf der Südseite zu dem bezaubernden Weiler Le Tholonet und weiter zu dem Dorf Saint-Antonin zu Füssen der steil aufragenden Felswände, eingebettet in das Rauschen der Pinien und das Zirpen der Grillen, im Norden durch das Infernet-Tal mit seinen Stauseen, die man zur Bewässerung des Gebietes angelegt hat. Den ersten verdanken wir dem Vater Emile Zolas, nach dem er auch benannt ist. Zola wurde zwar in Paris geboren, verbrachte aber seine nicht eben leichte Kindheit in Aix und war mit Paul Cézanne eng befreundet.

Und hier starb Cézanne auch. An einem Oktobertag im Jahre 1906 nahm er das Motiv auf trotz drückender Hitze und eines nahenden Gewitters. In dicken, schweren Topfen fällt der Regen, den die dürstende Erde wie Manna in sich aufnimmt. Cézanne malt. Als er endlich gezwungen ist, seine Staffelei einzupacken, wird er bis auf die Haut durchnässt, und ein Schüttelfrost überkommt ihn. Wieder auf der Strasse überfällt ihn ein Schwindel, und er stürzt mit seinem Malgrät auf den durchweichten Erdboden. Ein des Wegs kommender Fuhrmann findet den Bewusstlosen und bringt ihn in die Rue Boulegon zurück.

Am folgenden Tag begibt er sich, wie immer, ins Atelier der Lauves. Nur mit Mühe schafft er den Rückweg. Seine Frau und sein Sohn sind in Paris. Als Paul Cézanne aus dem Leben scheidet, ist niemand bei ihm als seine alte Haushälterin, weder irgendein Verwandter noch ein Freund. Er stirbt wie er gelebt hat-allein.

Am Fusse des Saint-Victoire-Gebirges liegt Vauvenargues mit einem Schloss aus dem 17. Jahrhundert, das der Familie Vauvenargues gehörte. 1958 wurde es von Picasso erworben, der dort 1973 beigesetzt wurde, in jener Provence, die ihm zur Heimat wurde, nachdem er zu Ruhm und Reichtum gekommen war.

***In der Umgebung von Aix: Links die Schlösser von La Barben und Le Tholonet. Oben das Schloss von Vauvenargues. Rechts das von Cézanne so oft gemalte Sainte-Victoire-Gebirge.***

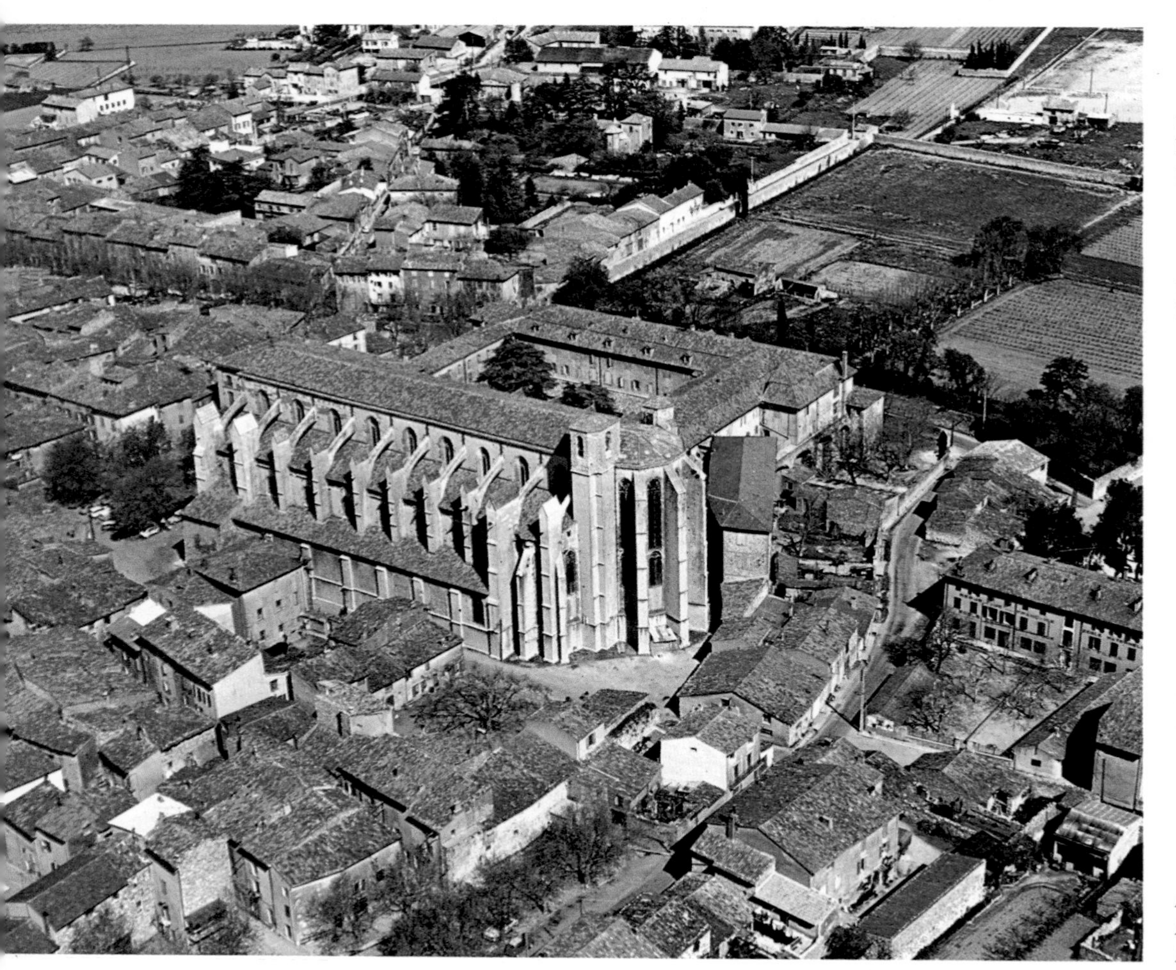

Schon in frühchristlicher Zeit errichteten Mönche eine Einsiedelei; später wurde der Berg das Ziel frommer Pilger. Für sie, zu denen Könige und Fürsten zählten, erbaute man ein Hospiz. Die Mönche von Le Thoronet gründeten ein Kloster, von dem nur noch Ruinen zu sehen sind.

Die Höhle liegt in der Nähe des Saint-Pilon. Das Hospiz in 675 m Höhe wurde ab 1968 in ein Zentrum für geistige und kulturelle Begegnungen umgewandelt. Von allen Punkten des Gebirgskamms aus hat man herrliche Ausblicke. Die durch Buchen- und Pinienwälder führenden Wege und Pfade sollte man unbedingt zu Fuss durchwandern. Von dem auf der Höhe liegenden Plan-d'Aups aus kann man nach Gémenos im Süden oder nach Auriol im Norden absteigen. Westlich von Auriol ragt jenseits des Huveaume-Tals eine weitere Bergkette empor, das Etoile-Massiv, das im Norden bis dicht an Marseille heranrückt. Zwischen Aubagne und Allauch erstreckt sich das Land Marcel Pagnols, des grossen Schriftstellers und Regisseurs. Hier liegt der Verfasser der Marius-Trilogie begraben, hier drehte er die meisten seiner Filme, in denen man den Duft von Thymian und Lavendel zu atmen, das Zirpen der Grillen zu hören meint.

***Blick auf Saint-Maximin, unten links das Sainte-Baume-Massiv. Rechts und unten Fischernetze und Boote im Hafen von Martigues.***

## VON SAINT-MAXIMIN ZUM SAINTE-BAUME-MASSIV

Östlich von Aix-en-Provence erstreckt sich in Richtung Var eine landwirtschaftlich intensiv genutzte fruchtbare Ebene; einst dehnte sich hier ein See, der von den Römern und später von Mönchen trockengelegt wurde. Mittelpunkt dieses Gebietes ist Saint-Maximin, ein typisch provenzalisches Städtchen mit einer schönen einschiffigen Basilika in strengem, klarem Stil; freilich wird die Harmonie durch den aus dem 17. Jahrhundert stammenden Dekor der Apsis gestört. Die Kirche entstand in mehreren Bauabschnitten; man begann im 12. Jahrhundert, vollendete sie aber erst im 15. und 16. Jahrhundert. In der Krypta sollen sich die sterblichen Überreste der heiligen Maria Magdalena befinden, die angeblich in einer Höhle auf dem Sainte-Baume-Massiv lebte. Mit der Auffindung der Reliquien im 13. Jahrhundert wurde die Höhle zum vielbesuchten Wallfahrtsziel. Das Orgelgehäuse der Kirche stammt aus dem Jahr 1773. Die Orgel hat einen hervorragenden Klang; man kann sie in den Sommermonaten anlässlich der von einem internationalen Kulturzentrum in Saint-Maximin veranstalteten „musikalischen Abende" hören.

Sehenswert sind ferner ein altes königliches Kloster und die Reste der Stadtmauer. Durch den Bau der Autobahn ist das zauberhafte Städtchen gottlob vom Durchgangsverkehr entlastet worden.

Im Süden leitet der Aurélien-Berg (856 m) zu einer Reihe von parallel bis zum Meer gestaffelten Bergmassiven über. Am interessantesten und bekanntesten ist das legendenumwobene Sainte-Baume-Massiv. Man gelangt zu ihm über Nans-les-Pins oder Saint-Zacharie. Das mehr als 10 km lange Massiv gipfelt im Joug de l'Aigle (1116 m) und im Signal de la Sainte-Baume (1147 m). Auf der Nordflanke liegt in fast 1000 m Höhe die Höhle, in der die heilige Magdalena 33 Jahre lang gelebt haben soll, nachdem sie das Gebiet um Saint-Maximin missioniert hatte.

Nordwestlich von Marseille setzt sich die Etoile-Kette in der Estaque-Kette fort, die den Etang de Berre vom Meer trennt. Der See, eher ein seichtes Binnenmeer, wird im Norden von den petrochemischen Werken von Berre, im Südwesten vom grossen Industriegebiet von Fos-sur-Mer begrenzt.

Die ganze Region, in der sich felsige Hügel mit Wasserflächen abwechseln, ist in den letzten Jahrzehnten zu einem gewaltigen Industrie-, Wirtschafts-, Verkehrs- und Siedlungskomplex geworden.

Wie Wirklichkeit gewordene futuristische Phantasien wirken der Europort Fos-Marseille mit seinen riesigen Hafenbecken und seinen Industriewerken (Chemie. Metallurgie). Das durch einen Kanal mit dem Etang de Berre verbundene Port-de-Bouc, ist der Ausgangspunkt einer 800 km langen Pipeline, und am Nordrand des Etang liegen die Raffinerien mit ihren Tanks und züngeln die Flammen der abgefackelten Gase. Einige alte Fischerdörfer zu Füssen der Estaque-Kette scheinen von vergangenen Zeiten zu träumen: L'Estaque, Carry-le-Rouet, Sausset-les Pins, Paradiese des Pastis (Anis-Aperitif) und der Bouillabaisse (Fischsuppe).

Malerisch ist auch noch Martigues am Südrand des Etang, das von Alibert besungene „Venedig der Provence" mit seiner Altstadt. Drei Stadtteile sind durch Zugbrücken miteinander verbunden.

## MARSEILLE, DAS „TOR ZUM ORIENT"

Marseille ist zwar die grösste Stadt der Provence, war aber nie deren Hauptstadt, sondern verstand sich stets als Hafen- und Handelsstadt, als eine Drehscheibe, auf der sich Nord und Süd, Ost und West begegneten und begegnen – ein Kosmopolitismus, der seit mehr als zweieinhalb Jahrtausenden die Lebensgrundlage dieser Stadt darstellt.

Schon in der sagenumwobenen, aber auf einen historischen Kern zurückgehenden Gründungsgeschichte Marseilles kommt diese Weltoffenheit zum Ausdruck. Um 600 v.Chr. landeten Phokäer aus Kleinasien mit ihren Schiffen im Gebiet des heutigen Alten Hafens. Damals war der Küstenstreifen von einem ligurischen Stamm bewohnt. Dessen König versuchte keineswegs, die Eindringlinge ins Meer zurückzuwerfen, sondern lud den Anführer der Phokäer, den jungen Protis, zum Festmahl ein, bei dem er seine Tochter Gyptis verloben wollte. Dem Mädchen stand es frei, unter den versammelten Bewerbern den Mann ihrer Wahl zu bestimmen, indem sie ihm einen gefüllten Pokal darbot. Gyptis überreichte den Pokal jedoch nicht einem der ligurischen Freier, sondern dem Phokäer. Die Heirat besiegelte den Bund zwischen den Einheimischen und den Neuankömmlingen. Eine Kolonie entstand, die den Namen Massalia erhielt. Man legte einen Hafen an, und durch regen Handel mit Griechenland und Kleinasien kam die Stadt rasch zu Wohlstand. Zum Schutz der Handelsinteressen gründete man von Massalia aus längs der Mittelmeerküste Niederlassungen; dazu gehörten die noch heute existierenden Hafenstädte La Ciotat, Hyères, Antibes und Nizza.

Berühmte Seefahrer und Kaufleute aus Massalia befuhren alle damals bekannten Meere von den Küsten Afrikas bis zum fernen Thule. Trotz starkem griechischem Einfluss blieb die Stadt jahrhundertelang selbständig und erreichte ihre grösste Blütezeit im 4. und 3. vorchristlichen Jahrhundert. Als die Karthager zur Gefahr wurden, verbündete sich Massalia im 2. Punischen Krieg mit Rom, das sich für die Unterstützung dankbar zeigte: 125-121 bekämpften römische Legionen die auf Massalia vorrückenden Allobroger, 102 v.Chr. schlug Marius die von Norden kommenden Kimbern und Teutonen. Aber mit der Einrichtung der Provinz Gallia Narbonensis ging der Handel mehr und mehr in römische Hände über, und als die Stadt im Bürgerkrieg zwischen Cäsar und Pompejus auf die falsche Karte setzte, wurde sie 49 v.Chr. von den Cäsarianern eingenommen und verlor ihre Hafen- und Handelsrechte. Damit sank Marseille für Jahrhunderte zur Bedeutungslosigkeit ab, während Städte wie Arles und Nîmes zu neuen wirtschaftlichen und kulturellen Zentren aufstiegen – kein Wunder, dass es in Marseille nur so wenige Zeugnisse aus der Römerzeit gibt! Im Zuge des Wiederaufbaus nach den Zerstörungen des Zweiten Weltkriegs und bei jüngeren Sanierungsmassnahmen hat man im Gebiet der Altstadt nördlich des Alten Hafens (im Altertum Lakydon) spärliche Reste der antiken Stadt ans Tageslicht gefördert: Wehrbauten und Hafenanlagen aus dem 2. vorchristlichen Jahrhundert und Docks aus römischer Zeit. Von römischen Tempeln und Theatern, wie wir sie anderswo in der Provence finden, keine Spur...

Erst als es mit dem Römerreich zu Ende ging, erwachte Marseille zu neuem Leben. Früh schon fand das Christentum Eingang; vermutlich versammelten sich die ersten Christen in den Katakomben unter der Saint-Victor-Basilika, deren beide Türme sich heute vor dem Werfthafen erheben. Der heilige Viktor war Soldat gewesen und hatte unter Diokletian 303 n.Chr. den Märtyrertod erlitten, weil er einen Jupiteraltar umgestossen hatte. Ihm zu Ehren gründete der aus dem Orient gekommene Johannes Cassianus um 420 in Marseille ein Kloster, das später von den Sarazenen zerstört wurde. An der Stelle der Klosterkirche, die als Krypta in das neue Bauwerk einbezogen wurde, errichtete man im 11. Jahrhundert eine Basilika. Ganz in der Nähe liegen die Höhle des heiligen Viktor und der Eingang zu den frühchristlichen Katakomben, in denen einst die Anhänger des neuen Glaubens Zuflucht suchten.

Seinem Ruf als „Tor zum Orient" gerecht wurde Marseille erst wieder im Zeitalter der Kreuzzüge, als nicht nur Kreuzfahrerheere ins Heilige Land aufbrachen, sondern auch die Handelsbeziehungen mit dem östlichen Mittelmeerraum wieder aufgenommen wurden. Für die Bewohner von Marseille stand stets ihre Vermittlerrolle im Vordergrund; politischen Ehrgeiz entwickelten sie nicht. So schreibt Marcel Brion: „Um das Wesen der Marseiller verstehen zu können, muss man wissen, dass ihre politische

*Marseille: Der Alte Hafen. Hafeneinfahrt; das von der Basilika Notre-Dame-de-la-Garde beherrschte Hafenbecken; ein Kai und das Gewirr von Booten.*

MA5826
MA8512

Einstellung stets durch ihre wirtschaftlichen Interessen bestimmt war. Marseille ist in erster Linie eine grosse Handels- und Industriestadt und bleibt darin seinen Ursprüngen und seinen Traditionen treu, denen es seine Bedeutung und seinen Reichtum verdankt."

Man trieb also lieber Handel, anstatt zu kämpfen, war jedoch stets entschieden darauf bedacht, seine Eigenständigkeit zu wahren, gegen die Armeen Karls V. ebenso wie gegen die Ränke Karls von Anjou und gegen die Machtansprüche Ludwigs XIV. In Marseille hatte man stets etwas gegen die an der Macht Befindlichen, besonders wenn diese ihre Stellung missbrauchten. Man war republikanisch während der Königszeit, schloss sich begeistert 1789 der Revolution an (das „Kampflied der Rheinarmee", die heutige Nationalhymne, verdankt den Freiwilligen aus Marseille ihren Namen „Marseillaise"), stellte sich gegen den Nationalkonvent, war zu Napoleons Zeiten royalistisch und im Zweiten Kaiserreich republikanisch.

Vor allem das Zweite Kaiserreich prägte das Bild der Stadt, so wie es sich heute dem Besucher darbietet. In diesen Jahren entstanden zahlreiche Bauten, Zeugnisse des neuen Aufschwungs, den Marseille damals nahm: der Hafen von La Joliette, die Kirche Notre-Dame-de-la-Garde, der Justizpalast, das Palais Longchamp mit seinen Museen. Entsprechend dem raschen Wachstum der Stadt verlängerte man die Canebière und die benachbarten grossen Strassen. Ausserhalb der alten Stadtgrenzen sind neue Viertel entstanden, so im Vallon des Auffes an der Küstenstrasse.

Wie seit mehr als zweieinhalb Jahrtausenden ist Marseille noch heute Schmelztiegel und Drehscheibe zugleich und hat in dieser Funktion an der Schwelle zum 3. Jahrtausend neue Bedeutung gewonnen. Mit seinen gewaltigen Hafenanlagen, den ausgezeichneten Verkehrsverbindungen ins Hinterland und dem gigantischen Industrie- und Hafengebiet von Fos ist es nach wie vor das Tor Europas nach Afrika und Asien, traditionsverbunden und zukunftsorientiert, erfüllt von buntem Leben und emsiger Geschäftigkeit.

***Marseille: Oben die Canebière; die Kathedrale; das Château d'If. Links die Turmspitze von Notre-Dame-de-la-Garde; ein Turm in der „Cité Radieuse" des Architekten Le Corbusier (die erste „futuristische" Bauschöpfung in Europa); das Rathaus. Unten die Reede.***

PIZZERIA
chez Jeanno
PIZZERIA

## DIE KÜSTE DER PROVENCE ZWISCHEN MARSEILLE UND BANDOL

Vor dem Alten Hafen von Marseille liegt die alljährlich von ungezählten Touristen besuchte Insel If mit ihrem im 16. Jahrhundert nach dem Einfall der kaiserlichen Truppen erbauten Schloss, das im darauffolgenden Jahrhundert zum Staatsgefängnis wurde. Viele Menschen waren dort eingekerkert, der rätselhafte Mann mit der eisernen Maske ebenso wie Fürst Kasimir von Polen und Mirabeau, aber auch Frauen, denen man ihren lockeren Lebenswandel vorwarf, und in Zeiten religiöser Verfolgungen Priester und Mönche. Am berühmtesten jedoch wurden die Gefangenen aus dem Roman *Der Graf von Monte Cristo* von Alexandre Dumas, Edmond Dantès und der Abbé Faria. Hinter dem Marseiller Pharo-Viertel beginnt die Küstenstrasse. Südöstlich von Marseille erstreckt sich das felsige Marseilleveyre-Massiv mit seiner malerischen Steilküste, in die in kleine Buchten Fischerhäfen eingebettet sind – La Madrague, Les Goudes, Callelongue, Marseilleveyre. Vor der Küste liegen die Inseln Maire und Riou. Schmale Wege führen

über die Klippen oder hinauf zum Col des Chèvres, zum Col de la Selle, zum Col de Sormiou; hier kommen Bergsteiger auf ihre Kosten. Von See her gelangt man auf Ausflugsbooten an die zerklüftete, höhlenreiche Küste.

Durch den Fremdenverkehr hat das Städtchen Cassis manches von seinem ursprünglichen Zauber eingebüsst, ist aber nach wie vor mit seinen bunten Häusern, den Uferstrassen mit den zum Trocknen ausgespannten Fischernetzen, den Platanen und Brunnen ein typischer kleiner Mittelmeerhafen. Auf den Hügeln hinter der Stadt drängen sich Öl- und Feigenbäume, dehnen sich Weingärten. Einen Besuch lohnen aber auch die „calanques" zwischen den Bergen von La Gardiole und dem Canaille-Kap, tief eingeschnittene Täler, die wie mit Pinienwäldern bestandene Fjords aussehen.

Eine etwa 15 km lange Strasse verbindet Cassis mit La Ciotat. Diese „Corniche des Crêtes" folgt dem Soubeyran-Massiv bis zur Bucht von La Ciotat, wo schon im 6. vorchristlichen Jahrhundert eine phokäische Kolonie angelegt wurde. Ab dem 16. Jahrhundert betrieb man von hier aus Küstenschiffahrt im Mittelmeer, aber erst 1835 errichtete man die erste Werft. Inzwischen ist La Ciotat zum wichtigen Schiffbauzentrum gewor-

***In der Nähe von Marseille die Buchten von Callelongue, Le Vallon des Auffes und Les Goudes.***

den, neue Stadtviertel sind entstanden. Dennoch hat die Altstadt ihre Eigenart bewahrt. Viel hat man in den letzten Jahrzehnten für den Fremdenverkehr getan; zu Fuss und per Boot kann man die „calanques" von Le Muguel und Figuerolles besuchen, es gibt einen Jachthafen, mehrere Badestrände, ein Zentrum für Meereskuren und andere Touristeneinrichtungen.

Wenn man der Küstenstrasse weiter nach Osten folgt, gelangt man über Les Lecques nach Bandol, einen weiteren vielbesuchten Badeort an der provenzalischen Küste. Die Uferstrassen mit ihren Palmen und Platanen sind durch die umliegenden bewaldeten Hügel gut geschützt. Das dicht vor der Küste liegende Inselchen Bandor hat man in ein provenzalisches Dorf verwandelt; es gibt dort ein Marinemuseum, ein Freilichttheater und einen Tiergarten. Ausstellungen sind dem

Weinbau und dem Wein gewidmet.

Sonne, Palmen, blauer Himmel, süsses Leben – damit sind wir bereits in jenem Teil der Provence angelangt, dem man den Namen Côte-d'Azur, „himmelblaue Küste", gegeben hat, in jenem Küstenstreifen, an dem der Winter oft so mild ist wie der Frühling in unseren Breiten!

***Oben „calanques" zwischen Port-Miou und dem Canaille-Kap. Links Blick auf Cassis. Rechts ein Bild, ohne das eine Darstellung der Provence unvollständig wäre: Petanque-Spiel unter uralten Platanen.***